MIJN EXTRA LEVEN

Mijn extra leven

EEN GRAPHIC NOVEL VAN

Johan Unenge

VERTAALD DOOR Maaike Lahaise

Clavis

Uitgegeven met een vertaalsubsidie van
Kulturrådet (The Swedish Arts Council)

Johan Unenge
Mijn extra leven
© 2009 Johan Unenge (tekst, omslagillustratie, illustraties)
© 2010 voor het Nederlandse taalgebied:
Clavis Uitgeverij, Hasselt – Amsterdam – New York
Omslagontwerp: Studio Clavis
Vertaling uit het Zweeds: Maaike Lahaise
Oorspronkelijke uitgever: Bonnier Carlsen Bokförlag, Stockholm
Oorspronkelijke titel: *Mitt extra liv*
Trefw.: vriendschap, racisme, morele keuzes
NUR 285
ISBN 978 90 448 1370 8
D/2010/4124/151
Alle rechten voorbehouden.

www.clavisbooks.com

'Help!'
'Niemand hoort je blèren! Ha, nu ben je hartstikke dood!'
'Neeee!'

Shit, ik zit in de val. Op de begane grond stikt het van de soldaten. En hierboven zijn het er nog meer! Ze komen de trap op en mijn kant uit. Ze zijn overal. Ontsnappen lukt nooit! Ik moet me niet bewegen. Me niet verlinken. Jezus, ze hebben allemaal van die donkere brillen op. Wat ik ook doe, het maakt geen donder uit. Ik had dat andere huis moeten nemen. Dat eruitzag als een school. Maar die gebouwen gooien ze altijd meteen plat.

Nu klimmen ze langs de muren omhoog. Ik kan ze niet eens tellen. En het worden er steeds meer. De ruiten zijn al aan diggelen. Waar komt hij opeens vandaan? Godverdomme, hij is dubbel zo groot als de rest. En wat heeft hij voor wapen? Het is een nieuw type. En het is geladen, zeker weten. Dat betekent honderdvijftig schoten, als ik pech heb. Maak ik me uit de voeten, dan doorzeeft hij mijn rug. Hing er geen ladder tegen de buitenmuur? Of verzin ik dat maar?

Aan mijn eigen wapen heb ik geen moer. Ik had ermee moeten oefenen toen het nog rustig was, voor ik in deze hel belandde. Mijn handen worden zweterig en glibberig. Net als daarstraks, toen ik negentig schoten loste en ze allemaal verspilde. Negentig schoten is een hoop. Dat kun je niet maken, negentig schoten verliezen. Toch had ik geluk. Ik raakte alleen maar gewond. Even later ben je hersteld. Maar dat maakt nu niks uit. Ik word in mijn rug geschoten. Alles mag. Regels bestaan niet. Ik weet het donders goed. Dit is niet de eerste keer.

En word ik niet van achteren beschoten, dan pakken ze me op de binnenplaats. Ze wachten me op om me neer te knallen, of te gijzelen en te martelen. Ik weet niet wat het ergste is. Wat ging er eigenlijk mis? Nu springt er eentje naar voren. Zijn schaduw bereikt me het eerst en nu staan we oog in oog. Ik was nog wel zo voorzichtig. Bleef in de buurt van de greppel toen ik het veld overstak. Vanaf het moment dat ik het wapen kreeg en het alarm afging, ben ik hartstikke voorzichtig geweest. Kwam er een auto aan, dan dook ik meteen weg. Het hoefde niet eens een tank te zijn. Voor elke fiets sprong ik verdomme de greppel in. Ook al zat er alleen maar een stom wijf op met een boel potten op haar hoofd. Ik was zeiknat en de bloedzuigers vraten van mijn lijf. Gevaarlijk zijn ze niet, maar wel smerig. Het was de enige manier. Ik was onzichtbaar. Niemand had me in de smiezen. En toch ging het ineens fout. Als het maar niet afloopt zoals de vorige keer. Shit!

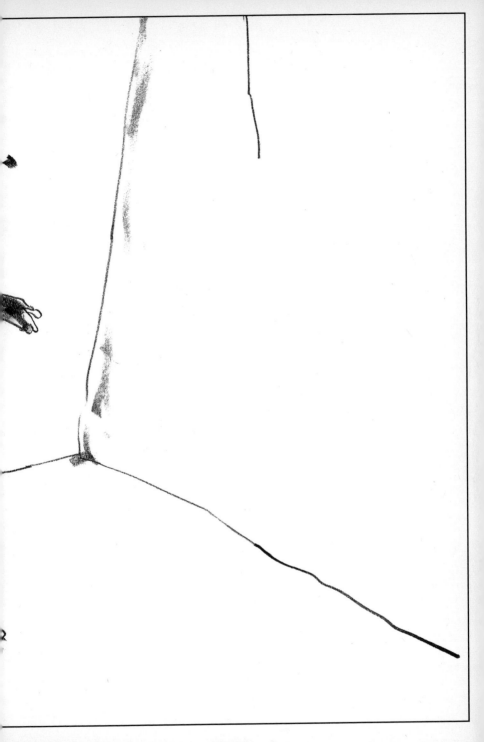

Zo nu en dan baalde ik van Mortal Combat. De stress. De spierpijn in mijn duimen. Ubbe kon er eindeloos mee doorgaan, zo leek het wel. De tune die ze op de achtergrond speelden, bleef een halve dag in je oren dreunen. Ik liep het liedje zelfs te fluiten. Kende het helemaal uit mijn hoofd en beter dan … dan het volkslied of zo.

'Tot morgen …'

'Morgen kunnen we uitslapen. Don't forget.'

'Woow, bijna vergeten. Oké, ik zie je.'

Ubbe hoorde me niet. Hij zat alweer in het spel. Als iemand hem eten kwam brengen en hij zijn hele leven kon zitten gamen, zou hij dat super vinden. Hij was de bleekste persoon die ik kende. Zeven jaar lang had hij amper zonlicht gezien. Maar we waren vrienden. Maatjes. Niet zoals meisjes. We ruilden geen armbanden en truitjes en zo. We ruilden alleen bloed, zeiden we wel eens. En dat was bijna waar. In elk geval als we Mortal Combat speelden. Er ging altijd iemand dood. Meestal ik.

We zaten elkaar voortdurend in de haren. Zo leerden we elkaar kennen. Op een dag sloeg Ubbe een tand uit mijn mond. Met een hark. Hij geloofde me niet toen ik zei dat mijn vader politieagent was. En daarom gaf hij me een oplawaai. Maar mijn vader is echt bij de politie. Big time. Sindsdien zijn we vrienden. Je krijgt een boel vrienden als je vader agent is. Maar alleen Ubbe is een echte vriend. Je kunt ook vijanden krijgen, maar dat had ik niet meteen in de gaten.

Ma kon elk moment thuiskomen. Dan was het gedaan met de rust. Soms leek het alsof ze in de auto zat op te laden. Om aan één stuk door te kunnen zaniken als ze me zag. Alle dvd's moesten meteen in de hoezen. Hoezo? Ik begreep niet waarom een woonkamer geen woonkamer mocht zijn. Anders hadden ze hem maar showroom moeten noemen. Maar jezus, je moest toch ergens tv kijken?

Dat soort ideeën gingen er bij haar niet in. De fles frisdrank stond nog op het tafeltje. Zag ik vanuit mijn ooghoek. Had geen zin om mijn hoofd om te draaien. Was dit nou echt een ramp? Waren er geen belangrijkere zaken in het universum? Ze had daar een bloedhekel aan, als ik het universum erbij haalde. Onze eigen hel is al groot genoeg, antwoordde ze dan. Dat was haar stijl. De boel overdrijven.

Ze kwam meestal om kwart over.

'Ik dacht dat je de pingpongkelder zou uitmesten. Je had me een groot plezier gedaan als je er in ieder geval mee was begonnen.'

'Dat ga ik ook doen, maar niet vandaag.'

'Wanneer dan?'

'Niemand heeft die klotekelder nodig!'

'Klote? Dat woord wil ik niet horen.'

'Target locked …'

'Wat zei je?'

'Niets. Morgen doe ik het. Echt.'

'Vast …'

Het is inmiddels een jaar geleden dat ik kapte met pingpongen. Verre-
weg mijn beste prestatie. Beter dan alle medailles. *Alle* is trouwens een beetje te. Het zijn er vier, en een paar lintjes. Wie kon ik daarmee imponeren?
Alva?

Ik denk van niet.

Pa had nachtdienst. Vroeger zat ik dan altijd aan de politieradio in de
werkkamer gekluisterd. Hij wou dat niet hebben. Ze gebruikten meestal co-
des. Cijfers en letters. Maar daar had ik geen moeite mee.

R 249 – geweld tegen politie. 38 – schietincident. 22 – mishandeling.

Ik weet niet waarom ik juist die avond bij de radio belandde. Misschien
omdat ik uit de buurt van de pingpongkelder wou blijven. Had zelfs een beker O'boy gemixt. Zat onderuitgezakt te luisteren. Soms gebeurden er best
spannende dingen. Zoals ongelukken. R 226 – aangereden wild, een wolf.
Versperde wegen, dat soort zaken. Maar een moord kwam nooit voor. Jawel,
één keer. Vier jaar geleden. Een 24:a. Moord.

23:34. 'EEN 32:A. BENZINEPOMP BIJ LEDBERGAMOTET. DRIE JONGENS. GEEN GEWELD. RENDEN IN NOORDELIJKE RICHTING. OVER.'

DE SC

HOOL

'Hou toch jullie smoel! Ik kan niet werken!'

Helena natuurlijk. De enige die wou dat het stil was in de klas. Ik had daar schijt aan. Ubbe ook. Iedereen. Deze leraar had niks te zeggen, geen flikker. Zenuwachtige blik, zweetvlekken onder de armen. Knoflookadem. Kon niet tippen aan Månsson. Hij slenterde naar binnen en iedereen lette meteen op. Die vent was een typische leider. Sommigen hadden talent. Månsson hoefde nooit zijn stem te verheffen. Ja, misschien heel af en toe. Dat was meer dan genoeg.

Albin gaf een mep op mijn schouder. Ik herinner het me omdat het pijn deed. Dat deed het anders nooit. Hij moet al zijn krachten gebruikt hebben. Ik had geen flauw idee wat hem bezielde. Niet op dat moment.

Toen ik me omdraaide, zag ik niet die bekende, irritante grijns. Er was iets met zijn ogen. Luguber gewoon. Ik had hem nooit beschouwd als een gevaarlijke knul, als iemand waarvoor je moest oppassen. Ook al had hij dat graag gewild. Hij probeerde te lijken op de gozers die voor de school rondhingen. De pamfletgang. Ik zei er niets over tegen Ubbe. Zo stom was ik niet. 'Geef hem een poeier terug', zou hij geantwoord hebben. 'Natuurlijk', had ik dan gezegd. Maar ik deelde nooit klappen uit. Misschien komt dat ervan als je vader bij de politie is. Het heeft zijn voor- en nadelen, dat is zeker. Ubbe had hem met plezier in elkaar getimmerd. Mij best.

En toen kreeg ik nog zo'n tik van Albin.

DIE RATTEN ROVEN
DE HELE STAD LEEG.

ECHT.

Wat kon het mij schelen? De hele zaak liet me koud. Het asielzoekerscentrum was er nu eenmaal. Dat ik het leuke gasten vond, nee, maar ze mollen? Godverdomme.

Albin kon van die lullige dingen zeggen. Ik wist waar hij het vandaan haalde. Van zijn pa. Zeker weten. Je hoorde het als het van hem kwam of van zijn pa. Zoals wanneer hij ouwehoerde over hoeveel de staat kwijt was aan buitenlanders. '60 procent teert op een uitkering.' Procent! Alsof Albin benul had van procenten. Met een onvoldoende voor wiskunde. Voor bijna alles trouwens. En die stem. Altijd loeihard. Zodat iedereen hem zou horen. Hij dacht dat hij cool was. Maar ik herinner me dat Alva knikte toen hij dat zei over die 60 procent. Ik hoopte dat het ergens anders over ging, over iets wat Nora tegen haar had gezegd. Die twee zaten altijd met elkaar te smoezen.

Eerlijk gezegd kende ik Alva totaal niet. Ik zou niet weten wat voor ideeen ze had. Voor hetzelfde geld was ze satanist of racist of zo. Dat kon je aan de buitenkant niet zien. Bij de pamfletgang wel. Die gasten wilden juist dat iedereen zag wat ze dachten. Bij welke groepering ze hoorden.

'Zetten we de strijd vandaag voort?'

'Je hebt me gisteren afgemaakt, weet je nog?'

'Nou en?'

'Ik moet een beetje opruimen thuis …'

'Mij best, maar we doen niet laf, hè?'

'Kunnen we niet iets anders doen dan gamen?'

'Wat dan? Vluchtelingen neerknallen?'

'Begin jij nu ook al?'

'Het was maar een grapje, man.'

'O, haha …'

'Jezus, wat heb jij?'

'Ben gewoon moe!'

'Moe?'

'Is dat soms verboden?'

Die herfst merkte ik voor het eerst hoe mooi ze was. Alva. We zaten al vier jaar in dezelfde klas. Ze hoorde gewoon bij de rest, meer niet.

Maar nu spookte ze voortdurend door mijn hoofd. Ongeveer toen ik ophield met pingpongen, toen begon het.

Bij mij dan. Bij haar was er niets begonnen. Ik was lucht voor haar, zeg maar. Zoals de vluchtelingen voor mij waren. Ik hield me er niet mee bezig.

Couldn't care less.

Ze zei me nooit gedag en ik zei haar nooit gedag.

Zolang ik niets over haar wist, kon ik faken dat ze perfect was. Zoals ik 's avonds over haar lag te fantaseren. Zo moest ze zijn.

Ik wou dat ze op mijn manier zou denken. Niet dat ik erg slim was. Maar zij moest slim zijn, het liefst slimmer dan ik. We moesten dezelfde dingen goed vinden.

Geen muziek en zo. Andere zaken. Politieke kwesties of hoe je dat noemt. Zaken die te maken hebben met de aarde en dergelijke.

Met de toekomst, zeg maar.

Na school namen Ubbe en ik bijna altijd de trein naar huis. Lopend deed je er max een kwartier over. Maar dat kostte moeite.

Ik had nog geen enkele thuiswedstrijd gemist. Dat had niemand, volgens mij. Soms moest je in de kleedkamer staan koekeloeren. De zaal was veel te klein. Als ze in de basketliga belandden, zaten ze met een probleem. Dat was duidelijk.

Tot nu toe hadden ze alleen maar gewonnen. Helemaal te gek gewoon. Toen ik klein was, heetten ze Hellevik BC en waren ze een lachertje. Altijd onder aan de ranglijst en altijd op het punt om in de tweede divisie te duvelen. Toen kregen ze die nieuwe, Yosseff, die de ene driepunter na de andere scoorde. We klommen, nou ja, *ze* klommen van een degradatieplaats naar de top. In de loop van twee seizoenen. Iedereen kreeg de basketkoorts. Er werd over niks anders gepraat. Alles draaide alleen nog maar om basket. Iedere eersteklasser begon in Helleviks juniorenteam. En nu zouden ze misschien promoveren.

Ubbes pa was aannemer en had verdomd veel trek in het bouwen van de nieuwe sportzaal. Ubbe zou stinkrijk worden, zei hij. Opscheppen was zijn stijl niet, dus het zou best kunnen. Hij had me een model laten zien, zo groot als een poppenhuis ongeveer. De luxe droop ervan af. Een enorme basketzaal met tribunes en een zwembad. Een café dat even cool was als Globen. Maar mijn ma baalde als een stekker. De politici kun je van me cadeau krijgen, zei ze. En ik dacht ook niet dat er wat zou komen van een nieuwe bibliotheek als ze die sporthal gingen bouwen. Zoveel geld hadden ze niet. Mijn ma had haar hele leven in dat muffe bibliotheekje doorgebracht. Alle boeken stonken naar tenenkaas. En of mijn ma daar zat te beschimmelen, daar maakte niemand zich druk over. De nieuwe sporthal was belangrijker. Dat vond iedereen. Heel Hellevik. Plotseling waren ze allemaal basketfans. Boekenfans waren outcasts.

ER IS NIKS
MIS MEE.

Die beker mocht ik maar één jaar houden. Daarna was Marcus aan de beurt. Maar dat was mij een biet. Vooral nu ik ermee gekapt had. Als ik hem tegenkwam, had hij het er nooit over en waarom zou ik me er dan druk over maken? Misschien had hij nu wel bij Tobias moeten staan. Ik snapte best waarom niemand dat stomme ding wou hebben. Het leek wel een vaas van de vlooienmarkt. Had ik misschien gedacht dat Alva hem mooi zou vinden? Het idee. Wanneer kwam zij in onze kelder?

Eén keer had ze me zien spelen. Dat was in de aula, tijdens de lunchpauze. Verleden jaar. Die ene serve van me zal ik nooit vergeten. Een perfecte spinbal. Die knul uit de negende had geen schijn van kans. Hij nam een duik en knalde met zijn arm tegen de hoek van de tafel. Kon daarna amper het batje vasthouden. Maar hallo, wie is onder de indruk van een partijtje pingpong? Toch dacht ik een hele week dat ze naar me toe zou komen als ik in de rij stond in de kantine.

Pa was uit zijn hum.

Propte het eten naar binnen en liet de helft van zijn vork vallen. Gaf nauwelijks antwoord als ma iets zei. Ik dacht dat hij er de pest in had omdat hij niet naar de match kon.

'Had je je niet kunnen omkleden?'

Ma haatte het als hij in zijn uniform zat te eten. Het had niets met de match te maken. Het ging over iets anders. Over dat gedoe dat net begonnen was. En goed uit de hand zou lopen. Iedereen had het er al over, zelfs op ma's werk. Jan en alleman belde de politie.

Daarom had hij zijn uniform aangehouden. Hij moest terug naar het bureau. Die lui die uit het asielzoekerscentrum waren ontsnapt, moesten gepakt worden. Iedereen bemoeide zich ermee.

'Er belde een vent van de pinkstergemeente. "Gods aarde is voor iedereen", zei hij en nog meer van die onzin.'

'Ik kan hem geen ongelijk geven', zei ma.

'Ja, jij hebt makkelijk praten. Maar verdomme, ik moet het vuile werk doen!' gromde pa.

Ik zei niets over wat Albin op school had gezegd. Dit soort gebekvecht aan de keukentafel was bijna vaste prik. Nu zat ze hem weer te jennen. Had het over je geweten, dat je daarnaar moest luisteren. Ze zou voor iedere moordenaar een goed woordje doen, beweerde pa.

'Je mag met me ruilen! Wedden dat je dan anders gaat piepen?!'

Hij schreeuwde. Dat een agent verdomme nog aan toe geen keuze had.

Het was zijn plicht om die lui op te pakken. Iedereen eiste dat. Vrijwel iedereen tenminste.

'Het is hun goed recht. De mensen betalen belasting zodat wij ervoor kunnen zorgen dat die asielzoekers van andermans spullen afblijven', zei pa.

'Dat wist ik niet', zei ma. 'Dat we daarom belasting betalen.'

Thuis

HELLEVIK TIGERS

Uit

HOVÅKRA
FLAMES

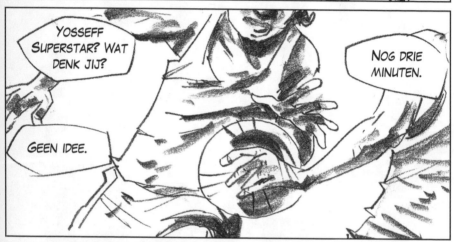

We hakten ze weer in de pan. Het was altijd 'we' als we wonnen en 'ze' als het goed misging. Maar dat was lang geleden.

Ik ging graag naar de wedstrijden. Niet alleen omdat Hellevik altijd won. Het was de sfeer. Iedereen zat te schreeuwen. De spelers op te jutten. Zelfs oude wijven konden er wat van. De scheidsrechter was vaak de pineut. Hij werd uitgescholden en met de dood bedreigd. Dat hoorde erbij. Bij de spanning, zeg maar. Winnen was hartstikke belangrijk. Deze sfeer had je nooit bij pingpongen. Vergeleken bij basket was pingpong doodser dan een begrafenis.

'Je hoorde wat Tony zei?' zei Ubbe.

'Nee, wat dan?'

'Over die papieren.'

'Wat voor papieren?'

'Yosseffs werkvergunning.'

'Die gozer is een prof, man. Dan heb je toch geen papiertje nodig?'

'Dus wel, volgens Tony.'

Ubbe trok een vreselijk bezorgde kop. Maar dat was zijn stijl. Hoorde hij een nieuwtje, dan was hij er helemaal van ondersteboven, ook al ging het nergens over.

We schakelden over naar de nieuwe Mortal Combat. Daar kikkerde Ubbe van op. Ik wist bijna zeker dat hij de game al besteld had. En dat bleek te kloppen. Hij dacht dat hij een van de eersten was. Zou naar Stockholm gaan met zijn slaapzak om ervoor te zorgen dat hij zijn exemplaar niet misliep. Dat deed hij de vorige keer ook. De knul was niet goed snik. Zo cool waren die spelletjes nou ook weer niet. Maar dat kon je beter niet tegen hem zeggen.

'In de nieuwe game kun je je gijzelaars echt martelen. Hun nagels uittrekken, elektroshocks geven en zo. Een tikkeltje te wreed misschien, maar best gaaf, dat ze zoiets kunnen produceren. In de vorige versie kon je doodbloeden, dat was het nieuwste van het nieuwste. Nu is dat flauwe boel. Hé! Ik praat tegen je!'

'Wat?'

WAT HEB JE INEENS?

NIKS. NOU, TOT MORGEN.

Ik kon niet slapen. Als ik mijn ogen dichtdeed, zag ik steeds hetzelfde plaatje. Alva samen met Albin. Dat zij tegen hem zou praten, had ik totaal niet verwacht. Hoe ik ook piekerde, ik kon geen enkele goede reden bedenken waarom die twee met elkaar stonden te kletsen. Behalve dat het toevallig was. Hij vroeg misschien waar de wc's waren. Dat zou een goede reden zijn. Maar waarschijnlijk waren ze samen naar de wedstrijd gegaan. Een slechte reden. Ik had pijn in mijn buik.

Het geluid van de tv kwam door de vloer heen. Het stomme gelach van een achterlijke talkshow. Dat betekende dat ma in een slechte bui was. Alleen dan zat ze de halve nacht naar debiele programma's te kijken en zich op te vreten. Pa was nog niet thuis. Ze zat ook op hem te wachten. Was altijd hyper als hij nachtdienst had. 's Nachts gebeurden meestal de enge dingen. De gevaarlijke. De 22:'s en de 24:'s. Mishandeling en poging tot doodslag en zo. Als pa een beetje laat was, zat ma hem altijd te knijpen.

Ik ging rechtop in bed zitten. Toen hoorde ik zijn auto. Ik wist dat het pa was. Hij gaf altijd gas voor hij de motor afzette. Ook al was het twee uur 's nachts en ook al had ma er een hekel aan. Daarna liet hij ook nog het alarm afgaan. Sukkel.

TYPISCH PA. AGENTEN DOEN NOOIT NORMAAL. SNUFFELEN ALTIJD NAAR SPOREN. IN ONZE BOSJES NOG WEL. JEZUS.

'… en dat was "Don't Loose That Feeling" van The Greenhouse. Het wordt een zonnige dag. Geen wolkje zal de pret bederven, volgens de meteorologen. Dus leg de korte broek maar klaar, mensen. Zo dadelijk krijgen we bezoek van Ove Sundelin van de Hellevik Tigers. Als hij nog puf overheeft. Die hebben natuurlijk de hele nacht lekker gefeest, na de 78-65-overwinning van gisteren. Dat belooft wat voor de eindspurt. Het was Yosseff Dommobor die de meeste punten scoorde en we zijn hem veel dank verschuldigd. Hoor je het? Je wordt bedankt, Yosseff! Er is een mailtje binnengekomen van Gefa Ventilatie en Verwarming. "*Hup, Hellevik, hup!*" schrijven ze. Ga zo door, mensen. Stuur ons mailtjes waarop we Ove en zijn team kunnen trakteren, als hij binnendruppelt. Hoewel hij misschien liever een aspirientje heeft. Haha! Wat de situatie op de wegen betreft, wordt er nergens …'

Bij het ontbijt begon ma gelukkig niet over de pingpongkelder. Ze wond zich op over een artikel in de ochtendkrant. *Besluit praktisch rond. Baskethal wordt feit*, stond er. Ze hield de krant omhoog. Keek me kwaad aan. Alsof het mijn schuld was.

'De bibliotheek betaalt het gelag', zei ma.

'Gun je de Tigers geen toekomst?'

Want daar ging het om. Ma zag het verband niet. Maar daarom moesten ze die hal bouwen. Zodat Hellevik een kans maakte in de basketliga. Dat was een goede zaak.

Daar was ze het niet mee eens. 'Boeken zijn een goede zaak.' Hè ja, ma. Het had geen zin om iets te zeggen over de sfeer op de wedstrijden. Ze had er toch niets van begrepen.

Ubbe zat niet in de trein. Ik kletste wat met een paar jongens waarmee ik vroeger pingpongde. Een paar jaar jonger dan ik waren ze. Ze zeiden dat ik nooit had moeten ophouden. Dat mijn serve keigoed was.

Ik zakte lekker onderuit en zwetste: 'Sorry, maar ik heb wel wat anders te doen dan pingpongen.' Ze knikten en ik zei verder niets over mijn bezigheden. Ik had geen flauw benul wat ik ermee bedoeld had. Op dat moment had ik het gevoel dat mijn leven niets inhield en dat het misschien iets boeiender was geweest als ik had gepingpongd. Maar dat vertelde ik niet en dat was niet aan mij te zien. Toen ik uitstapte, keken ze me aan alsof ik een groot geheim verborgen hield. Mooi niet. Dat geheim kwam later pas.

Ik zat aan mijn werktafel en schuurde de kanten van broodplank nummer vijf. Ik hoorde Björkgren zuchten toen ik eraan begon. Maar jezus, ik heb totaal geen talent voor hout en timmeren en dat soort flauwekul. Alles werd even lelijk. Broodplanken waren een noodoplossing. Ik bekeek het plankje en zag dat het scheef was. Heel scheef, en bovendien had ik een stuk hout genomen dat krom was. Als ik op de ene kant drukte, ging de andere omhoog. Een wip. Het zou leuk worden om daar boterhammen op te snijden.

Albin maakte een ding waar je een pan op kon zetten. Björkgren had hem complimenten gegeven voor het design. Een spannende vorm, had hij gezegd en hij had geholpen met het kiezen van het juiste metaal.

Het geklets in de trein had iets met me gedaan. Het liet me niet los. Mijn leven was saai, dat was gewoon een feit. Er gebeurde niets. Mortal Combat en die rottige pingpongkelder. Dat was mijn leven. Geen extra dimensie, zeg maar. En aan wie kon ik dit kwijt? Er was niemand waarmee ik over zoiets kon praten. Ik keek naar de anderen in mijn klas. Probeerde te raden wie er ook zo over dacht. Niemand, volgens mij. Soms deed ik alsof het echt was als Ubbe en ik aan het gamen waren. Dan had ik het gevoel dat ik het was die achter een stapel dozen zat, op mijn hurken, met een leeg magazijn. Op zo'n moment kreeg je best de zenuwen. Ik kreeg trouwens altijd zweterige handen als we bezig waren. Dat was ook de bedoeling. Dat je het idee had dat het menens was. En de nieuwe Mortal Combat scheen nog heftiger te zijn. Aan *game over, try again* deden ze niet meer. Eigenlijk net zoals bij pingpongen. Een paar blunders en je was aan het verliezen. Elke bal was belangrijk. En nu was er niets meer dat ook maar een beetje belangrijk was.

EH, GOEIE WEDSTRIJD, NIET?

WAS JIJ ER OOK?

JA ...

O, HEB JE NIET GEZIEN.

MAAR IK JOU WEL.

HÉ, WAT WAS DAT?

JEZUS, MAN, NIKS BIJZONDERS.

Dat had ik kunnen weten. Dat Ubbe alles zag en zijn snater niet kon houden.

'O, en waarom heb je dan zo'n rooie kop?'

'Hè?'

'Het lijkt wel of je koorts hebt.'

'Misschien heb ik dat ook.'

'De Alvakoorts.'

'Waar heb je het over?'

'Ze is best knap.'

'Nou en?'

Een stom gesprek. We hadden het nooit over meisjes. Het was een soort verboden terrein, een taboe of zo. Terwijl we elkaar al ik-weet-niet-hoe-lang kenden. Maar we waren met andere dingen bezig. Dingen die even belangrijk waren. Die je met echte vrienden deed. Geloof ik.

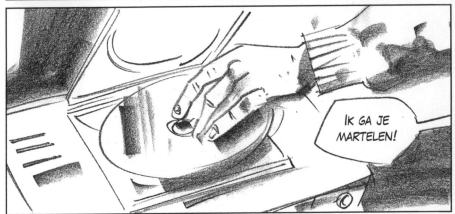

Die avond zag ik het voor het eerst. Bij het bosje waar pa de nacht ervoor was blijven staan. Ik liep erlangs met de vuilniszak en vroeg me af wat er te zien was geweest. Eerst dacht ik dat hij van plan was geweest om te pissen. Maar hij had alleen maar staan kijken. Nu deed ik hetzelfde. Er was iets met het gras. Het leek alsof er een ree had gelegen. Het gras was helemaal plat. Dat een ree het had gedaan, was vrij logisch. Het krioelde van deze beesten in onze wijk. Pa was al lastiggevallen door buren die vonden dat ze erop mochten schieten. De vader van Albin had de grootste bek. Natuurlijk.

DE KA

NTINE

'Omdat ze godverdomme onze banen inpikken!' schreeuwde Albin.

Hij had een knalrode kop.

Helena met haar eigenwijze grijns. Ik begreep goed dat hij uit zijn vel sprong. Ze leek immuun voor die praatjes van hem. Ze wachtte gewoon tot hij klaar was met brullen en zei toen: 'De asielzoekers? Pikken die onze banen in?'

'Ik heb het over alle parasieten die hierheen komen en hun handje ophouden!'

'Dus jij denkt dat je vluchtelingen hebt die ergens in een schuilkelder zitten en denken: weet je wat, we verhuizen naar Zweden om van een uitkering te leven, dat is een goed idee! En dan rennen ze met kun koffertje door de kogelregen om zich bungelend onder een vrachtwagen over de grens te laten vervoeren. Daar kruipen ze samen met een stuk of honderd anderen in een oververhitte container. En voor dat reisje legen ze de spaarpotten van hun hele familie. Maar dat hebben ze er natuurlijk voor over om in Zweden hun handje op te houden. Albin, hoe verzin je het!'

'Je bent nog dommer dan ik dacht!'

'Jij bent zo arisch als de pest!'

'Blij toe!'

Zo ging het altijd. Iedereen zat te kwekken, maar alleen als Albin en Helena hun mond opendeden, werd er geluisterd. Leila met de hoofddoek zei niets. Ik ook niet. En Alva? Ik had niet naar haar gekeken. Al een hele poos niet. Zou ik genezen zijn? Was de Alvakoorts gezakt?

'Mijn moeder werkt in de Statoilshop en als ze daar iets jatten, moet zij het uit haar eigen zak betalen. Wat mij betreft, mogen ze oprotten', zei Mattias.

Ik wierp een blik op Alva. Zag aan haar lippen dat ze alles wat Mattias zei, doorvertelde aan Emma. Wat ze ervan vond, was niet te zien. Of wel? Als ik goed had gekeken? Nog beter? Het gaat om signalen. Die je opvangt of niet opvangt. Niet wilt opvangen misschien. Maar volgens mij deed ik mijn uiterste best.

DE BIBL

OTHEEK

Ma was weer eens lekker kribbig. Ik zat in de koffiekamer en dronk hun muffe sinaasappelsap. Het smaakte net zoals de limonade die ze me gaven in het ziekenhuis, toen mijn blindedarm werd weggehaald. Even smerig. Het had geen zin om er iets van te zeggen. Ik wist dat ma dan alleen maar begon te zuchten en te kreunen.

'Wees blij dat er limonade is', zei ze.

'En dat er nog boeken op de planken staan.' Ze gebaarde naar de muren van de bibliotheek, die amper groter was dan een huiskamer.

Ik liep naar de wastafel en kieperde de beker leeg.

'Daar ben ik superblij om, dat er sap is. Maar hebben jullie wel eens gehoord van aardbeiensmaak? Dat is nog lekker ook.'

Hèhè, ma glimlachte. Ik keek naar haar zonder dat ze het zag. Ze zat net zoals op de foto die bij ons thuis in de keuken hing. Van onze vakantie in Griekenland. Ik was toen vier jaar. En ma hartstikke jong, vergeleken bij nu.

'Waarom ben je zo negatief?' zei ik.

Ze staarde me aan en slaakte een diepe zucht. Begon te praten over hoe de wereld eraan toe was. Over politiek. Ik snapte er geen bal van. En het ging weer over de bibliotheek. Over bepaalde mensen die altijd hun zin kregen. Omdat ze het hardst riepen. Ik dacht aan Albin. In mijn kennissenkring had hij de grootste mond. Maar wat wou hij daarmee bereiken? Daarna dacht ik aan de basketmatchen. Daar schreeuwde iedereen. En daar was niks mis mee. We wonnen de ene wedstrijd na de andere.

'Je moet eens meegaan naar een basketmatch, mam.'

'Om daar voor aap te staan, zeker. Mij niet gezien!'

'Voor aap? Nou zeg!'

'Bij alle sportfanaten is een steekje los. In die pingpongclub van jou, was daar soms één normaal mens? Het waren kuddedieren, ze gedroegen zich allemaal hetzelfde.'

'Dat geldt misschien ook voor alle bibliothecaressen. En dan is het geen wonder dat jullie wegkwijnen.'

Dat het een ree was, daar geloofde ik geen barst van. Maar wat dan wel?

De politieradio stond aan. Ik ging op de draaistoel zitten en luisterde. Met gespannen aandacht, zeg maar. Naar een boel gezwam. Dat ze een paar 61:'s hadden binnengekregen. Een lekke band op de E20. Hellevik was niet bepaald New York. De stemmen van een paar agenten kende ik. Karlberg. Altijd even chagrijnig. Elwin. Met zijn lijzige accent. Waar kwam hij ook alweer vandaan? Niet uit Hellevik in ieder geval. Als er iemand de weg kwijtraakte, dan kon je er donder op zeggen dat het Elwin was.

Het was een typische kalme dag. Er gebeurde in feite maar één ding. Een algemene oproep. Dat het hele korps de nieuwe pizza van Falconetti moest proberen. Ze hadden hem Yosseff Speciaal gedoopt. Cool, maar toch werd ik een beetje pissig. Was de politieradio niet bedoeld voor serieuze berichten?

Ma en pa kwamen gelijktijdig thuis. Hoe lang ik bij de radio had gezeten, daar had ik geen idee van. Het blikje verstopte ik onder mijn trui. Ik begon steeds meer het gevoel te krijgen dat ik nergens over kon praten, met geen van beiden niet.

We aten lasagne, Ma Speciaal. Het had een leuke avond kunnen zijn als dat stomme blikje er niet geweest was. Ik kon aan niets anders denken. Wou bijna dat ik het nooit gezien had. Dat had niets uitgemaakt, maar dat wist ik toen niet.

'Nog even en ze zijn ingeblikt', zei pa plotseling, alsof hij mijn gedachten had gelezen.

'Wat bedoel je?' zei ik, hoewel ik precies wist waarover hij het had.

'Er komen steeds meer tips binnen.'

'Van wie krijgen jullie die?' zei ma. 'Wat voor soort mensen zijn dat eigenlijk?'

'Wat voor soort mensen?'

'Je begrijpt me best.'

'Gewoon, brave burgers', zei pa. 'Die willen dat de wet gehandhaafd wordt.'

'Ze verschuilen zich waarschijnlijk ergens in de buurt van het strandje', zei pa en hij stond op.

Ma en ik bleven zitten. Ik probeerde er normaal uit te zien. Zo normaal als ik kon met alle gedachten die door mijn kop tolden.

'Je bent de pingpongkelder alweer vergeten.'

Kon ze nooit eens een beetje relaxen? En aan die klotekelder had ik best veel gedacht. Maar niet op haar manier.

Ik dacht aan Alva en mij. We gingen met elkaar. Ik liet haar ons huis zien en we kwamen in de pingpongkelder terecht. Ze zag mijn medailles en de beker die bij Marcus had moeten staan. Zogenaamd toevallig, zeg maar. Ik zou haar vertellen dat pingpong helemaal niet moeilijk was en dat ik haar best wat trucjes kon leren. Dat wou ze en we speelden een partijtje en lagen alleen maar dubbel van het lachen en vielen achterover in de zitzak en …

'Ik ga er heus wel mee door, maar niet vanavond. Hellevik speelt een belangrijke match.'

'Heb je geen huiswerk?'

'Wat? Nee … Ik heb het al gedaan, bedoel ik.'

'Is dat zo?'

'Vertrouw je me niet?'

Ze keek me aan. Met van die ogen waarmee ze in de bibliotheek naar mensen gluurde die slechte bedoelingen hadden, volgens haar.

Nu keek ze naar mijn trui. Ik draaide me om en liep de keuken uit. Voelde dat mijn wangen brandden. Vanwege een blikje. Jezus.

HELLEVIK TIGERS

Uit

BODAFORS BK

Ze was gelukkig niet met Albin. Tenminste, ik dacht van niet. Zodra ik haar zag, begonnen mijn ogen heen en weer te stuiteren, op zoek naar die gozer. De puntentelling kon ik met geen mogelijkheid volgen. Het lukte me niet om op beide zaken te focussen. En welke was eigenlijk de belangrijkste?

Yosseff was zoals altijd de beste speler. Scoorde 73%. Topscorer van Hellevik. Van heel Zweden misschien. De beste basketspeler van Zweden speelde bij de Hellevik Tigers. Dat werd gezegd. En dat Hellevik nergens was geweest zonder Yosseff. Hij was goed voor het hele team.

'Wist je dat ze bij Falconetti een nieuwe pizza hebben die …?'

'Ja, ik weet het …'

Ubbe had hem al gegeten. Een pizza calzone. Met ei, ananas, rundvlees en ui.

Dat klonk matigjes, vond ik. Maar Ubbe zei dat het hun best verkochte pizza was op dit moment. Prijkte bovenaan in de pizzaliga, zeg maar.

'De volgende keer neem ik een Yosseff.'

'Moet je doen! Drie kronen gaan naar de club!'

'Of naar het bouwbedrijf van je pa.'

'Doe normaal! Naar de club!'

Het was hartstikke druk bij de uitgang. Iedereen duwde en wou snel bij zijn auto zijn. Om van het parkeerterrein te zijn voor het ook daar een bende werd. Plotseling stonden we vlak achter Alva en Nora. Ze hadden het over Albin.

Dat hij bij het strandje was. En dat er een hoop lui heen ging. Om ze te grijpen.

Ubbe keek me aan.

'Begreep jij daar iets van?'

'Ze verschuilen zich bij het strandje.'

'Wie?'

'De vluchtelingen die ontsnapt zijn.'

'Hoe weet jij dat?'

'Hallo, mijn pa is bij de politie.'

Hij vroeg niet hoe Albin erachter was gekomen. Ik haalde mijn schouders op. Wou Alva niet uit het oog verliezen. Maar het was al te laat.

Ik keek naar mijn wekker. 02:27. Blauw zwaailicht flitste door mijn kamer. Buiten op de stoep stond een politieauto. Een eindje verderop nog een. Vier agenten met zaklantaarns renden door onze straat. Onze straat? Het was weird. Net een film. Ik hoorde de stem van mijn pa. En die van Karlberg.

'Negers zoeken in het donker, jezus christus!'

'Een beetje dimmen, man!'

'Daar! Ze rennen als hazen!'

Pa en ma waren al weg toen ik opstond. En dat vond ik prima. Ik was helemaal total loss. Alles leek een droom. Of een game. Toen de politieauto's wegreden in de richting van het Vioolpad en de Zangvogelweg, was ik best moe, maar dat ik daarna lekker gepit had, kon ik niet zeggen. Het geschreeuw van de agenten bleef in mijn hoofd galmen en daar kwamen de stemmen uit onze game bij. Zelfs de irritante muziek dreunde op de achtergrond. Het moest wel een droom zijn. Want in het echte leven schreeuwde toch niemand: 'Schieten!'?

De eerste die ik hoorde toen ik op school kwam, was Albin. Hij was zo schor als een kraai. Had de hele nacht geschreeuwd, zei hij. En veel plezier gehad van zijn kunstzinnige onderzetter. Hij beweerde dat hij ze ermee geraakt had. En dat de politie achterlijk was. Ze mochten blij zijn dat hij en nog wat anderen er ook waren, want op eigen houtje hadden de smerissen die ratten nooit ontdekt.

Ik deed alsof ik niks hoorde. Deed alsof ik niet zag dat Alva met grote ogen zat te luisteren, samen met een stelletje leeghoofden.

'Achterlijk, zei je? Waren die agenten dan geen Zweden?'

Helena ging in de aanval.

'Wat?'

'Als het Zweden waren, waren ze toch zeker niet achterlijk?'

'Waar heb je het over?'

'Ik dacht dat alle Zweden slim waren en alle buitenlanders achterlijk?'

'Ach, rot toch op met je gezeik!'

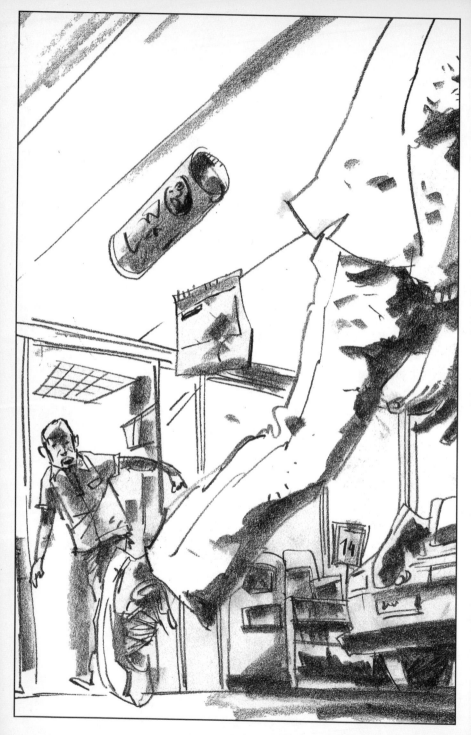

Ubbe vertrok in de middagpauze. Richting Stockholm. Zou zijn broer bezoeken en zijn tentje opslaan in de file om zijn Mortal Combat 4 te bemachtigen. Ik dacht dat hij in zijn broek zou pissen van de voorpret toen hij zijn kastje dichtsmeet en ervandoor ging. Ik had best mee gewild. Wat er dan gebeurd was, dat vraag ik me af. Niet omdat ik ergens spijt van heb, maar toch.

'Ik zag je gisteren op de match.'

'Wat?'

Ik draaide me om en daar stond Alva.

'Het was spannend, hè?'

Ze hoefde niet te weten dat ik vooral had zitten kijken of ik Albin ergens zag. En ik zei ook niet dat een match die je met 98-56 won, niet bepaald spannend was.

'Een goeie match, ja.'

We keken elkaar aan. Ik probeerde iets zinnigs te produceren. Ze was me voor.

'Ik denk dat je vader heus wel zijn best doet.'

'Eh … goh …'

'Hij laat ze niet zomaar lopen, toch?'

'Nee, ben je gek. Hij is niet achterlijk.'

'Albin doet altijd zo overdreven.'

'Vind ik ook.'

Ze was best oké. Een raar gevoel kroop door mijn lijf. Zij was begonnen, en ze zei alleen maar van die aardige dingen. Ik keek stiekem in haar kastje. Hello Kitty-stickers en een foto van de Hellevik Tigers. Ze was heel oké. Haar zou ik bij me willen hebben in de pingpongkelder. Met haar zou ik in de zitzak willen ploffen.

Op weg naar huis piekerde ik me rot. Of ik het gewoon had moeten vragen. Zonder moeilijk te doen. 'De volgende keer, zullen we dan samen naar de match gaan?' No problem. Een koud kunstje, zeg maar. En wat zou ze geantwoord hebben? 'Nee, ik hou niet van basket.' Natuurlijk niet, want dat deed ze wel. Dat er iets was tussen Albin en haar, daar geloofde ik niet in. Dan zou zijn foto wel in haar kastje hebben gehangen. Daar zou hij voor hebben gezorgd, zeker weten. Het idee werd steeds minder absurd, hoe langer ik erover nadacht. De volgende keer zouden Alva en ik met z'n tweetjes naar de match kijken. Dan zou het pas echt leuk worden. Dat zag je aan de jongens die een meisje bij zich hadden. Ze leken veel meer lol te hebben. Ik wou dat ook. Lekker zitten vrijen op het moment dat Hellevik scoorde. Maling hebben aan de match omdat je iets te doen had wat belangrijker was. Alva was waanzinnig belangrijk, dat voelde ik. Ze zou mijn leven veranderen, zeg maar. Hoe ik dat allemaal kon weten, is een goede vraag. Maar ik kreeg gelijk. Hoe dan ook.

Wat zou Ubbe me aangeraden hebben? Hij kon soms best helder van geest zijn. Misschien had hij gezegd: 'Gas geven en niet loslaten, die meid!' Als hij echt niets geweten had. Hij had ook stikjaloers kunnen worden. Omdat hij geen meisje had. Moeilijk te zeggen, want hij had het er nooit over. Ik bedoel niet dat hij misschien wel homo was. Ubbe was gewoon bezeten van games. Van doen alsof. Ik vroeg me af of hij zich al een aap lag te vervelen in zijn slaapzak. En of ik hem zou bellen.

Het duurde nog twee dagen voor de game gelanceerd werd. De knul was echt een junkie.

'Hello junkieboy!'

'O, hé ... wacht even ...'

'Hoe is het in Stockholm?'

'Te gek, joh. Gisteren regende het de hele dag. Toen was het afzien. Vooral voor de jongens die vóór mij in de rij bivakkeerden. Hun tent lekte als een gieter en toen trokken ze bij mij in. Meteen big party natuurlijk. En maar kaarten. En lekker relaxen.'

Plotseling hoorde ik iemand op de achtergrond. Ubbe gierde in mijn oor. Die lach kende ik niet. Vast een typische Stockholmlach.

'Zeg, ik moet afhaken. Spreek je later. En als ik thuiskom, zal ik je zo laten schrikken dat je urenlang zit te blèren!'

'Vast.'

'Vet, joh! Iedereen hier heeft het alleen maar over het nieuwe martelwerktuig van MC4!'

'Echt?'

'Yes! Niemand weet precies hoe het werkt, maar je moet iets aan je computer koppelen en daar staat spanning op. Je gaat er niet dood aan, haha, maar het prikkelt best heftig. Cool, toch?'

'Fucking cool!'

Ik beëindigde het gesprek.

Het prikkelt best heftig ... Ik zat daar niet echt op te wachten. En ik kon er donder op zeggen dat ik de klos zou zijn. Cool voor Ubbe, zeker weten. Het beste zou zijn om keihard te trainen voor hij thuiskwam. Maar dat zag ik niet meteen zitten.

96

Je kon het altijd ruiken als pa nachtdienst had gedraaid. Want dan lag hij 's middags op de bank te pitten. Het rook naar pa die twee pilsjes ophad. En eieren met knakworst had gebakken. Dat was vaste prik. Ik deed de voordeur zachtjes achter me dicht. Wou hem niet wakker maken. Maar toen ik op mijn tenen naar de keuken sloop, hoorde ik dat hij zich omdraaide en kreunde. Als een zieke zeekoe. Hij liet een scheet.

'Hallo?'

'Hallo, hallo', zei ik.

Hij ging rechtop zitten en woelde door zijn haar. Door het plukje dat over was. Ik wist dat ik er net zo uit zou zien als ik volwassen was.

'Wat gebeurde er allemaal vannacht?'

Pa liet zich tegen de rugleuning zakken. Zuchtte. Daarna vertelde hij dat, toen de politie bij het strandje arriveerde, er al een stuk of twintig gasten bezig waren geweest om de ontsnapte vluchtelingen naar het einde van de steiger te jagen. Een paar waren zelfs in het water gevallen en hielden zich vast aan de palen.

'Zwemmen schijnen ze niet te leren in die landen waar ze vandaan komen. Mijn hemel, wat waren die knapen bang.'

'Weet je wie het waren?'

'Hoe zou ik dat moeten weten? Ze hebben geen van allen een paspoort.'

'Ik bedoel die gasten die achter ze aan zaten.'

'Albin was erbij.'

'Albin?'

'Ja, samen met die vader van hem, en … en een zootje anderen. Ik zal verder geen namen noemen. Maar ik kan je wel vertellen dat het niet de mensen waren die je daar zou verwachten.'

'Zoals?'

'Nee, dat mag ik niet zeggen.'

'Jezus, pap, doe niet zo stijf.'

'Er waren ook vrouwen bij …'

'Wat voor vrouwen?'

'Gewone. Eentje werkt bij de Coop op de vleeswarenafdeling bijvoorbeeld.'

'Wat moesten die gewone vrouwen daar?'

'Bravo, eindelijk een goeie vraag.'

Ik werd er schizofreen van. Aan de ene kant wou ik dat het allemaal afgelopen was, aan de andere kant ook weer niet. Als ze gepakt en het land uit geknikkerd werden, zou ik het gevoel hebben dat Albin en zijn metgezellen hun zin kregen. Door hun stomme geblèr. Maar jezus, als ze niet gepakt werden, kreeg de politie op zijn sodemieter. Eerlijk gezegd had ik geen idee wat pa van de hele situatie vond. Diepe gesprekken voeren was niet onze stijl. Wat zou er gebeurd zijn als ik hem gevraagd had wat hij ervan dacht? Persoonlijk, zeg maar. Wou hij echt dat ze het land uit gezet werden, of vond hij dat eigenlijk zielig? Of dacht hij vooral aan zichzelf en vond hij zichzelf het zieligst? Heel even merkte ik dat ik me schaamde, omdat het hem niet lukte ze te grijpen. En dat gevoel was best klote.

Als ik aan Albin dacht, dacht ik meteen aan Alva. Ik baalde ervan, maar toch gebeurde het elke keer weer. Ik wou niet dat ze bij elkaar hoorden, dat ze ook maar iets met elkaar te maken hadden, maar het ging automatisch. Albin en Alva. En het zou alleen maar erger worden, maar dat wist ik toen niet.

Koud water. Dat hielp. Ik hield mijn kop een hele tijd onder de kraan en probeerde alleen maar te denken aan Alva. Zonder Albin. Alva en ik, daar wou ik aan denken. Ik dwong mezelf om ons met z'n tweetjes te zien. Hand in hand, op een basketmatch of in de pingpongkelder of ergens in de stad. Was dat onzin of zou het best kunnen? Dat zij en ik …? Ubbe kon ik niet bellen. Hij was met iets heel anders bezig. Mortal Combat. Waarom bestond er geen game waarin je jezelf aan een meisje kon koppelen? Er bestonden duizenden games waarin je je moest vermaken met wapens, auto's of skateboards, maar niet één game voor jongens die zin hadden in een meisje. Ik zag het wel zitten: je koos een cool plekje uit, haalde de buit binnen en daarna begon de pret … Hoewel, het zou natuurlijk goed uit de hand kunnen lopen. Pure porno, zeg maar.

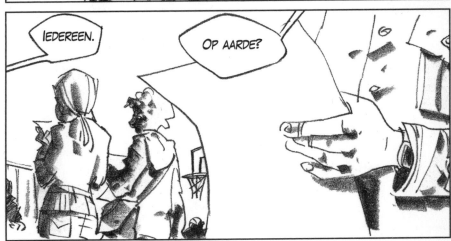

'In deze hoek van de wereld zijn wij zo lang verschoond geweest van oorlog en rampspoed dat veel mensen geen weet hebben van de gevolgen', zei Ljunggren.

Op elke lessenaar lagen beduimelde pamfletten. Ljunggren was al minstens een halfuur aan het preken. Hij was het die schreeuwend naar buiten was gestormd om het groepje demonstranten weg te jagen. Ze waren meteen opgehoepeld en hadden de pamfletten die ze nog overhadden, weggegooid. Het had er best komisch uitgezien, toen Ljunggren heen en weer rende om ze allemaal op te rapen. Albin had een hele stapel bemachtigd. 'Iemand moet ons ras beschermen', had hij gezegd. Helena was ook van de partij. Zij propte de pamfletten in elkaar en smeet ze in de prullenbak. Typisch Helena. Ik begreep het niet echt. De knullen die de pamfletten uitdeelden, zagen er doodnormaal uit. En wat was er nu zo fout aan? Als je iedereen gewoon hierheen liet komen, dan kwamen ze bij bosjes. Met z'n miljoenen. En dat ging nooit goed. In Hellevik was het nu al een bende. Als je er een schepje bovenop deed, een miljoen, zeg maar, dan vroeg je om een bloedbad.

'Ik vind dit weerzinwekkend. We beschikken maar over één aardbol en die moeten we met z'n allen delen.'

Ljunggren wist van geen ophouden.

Bijna iedereen zat te gapen. Ik keek naar Alva. Ze zat te sms'en. Naar wie? Wat was ze knap. Net een fotomodel. En haar haar zat anders. Nog leuker. Dat kon ik tegen haar zeggen. Maar wanneer dan? Ja, als ik haar zogenaamd toevallig tegen het lijf liep. Superslecht idee. Er piepte een sms'je op mijn mobieltje. *Wat kan die eikel zeiken, hè?*

Het was van Alva. Ik herinner me nog hoe het voelde. Ik weet niet of het kwam door mijn antwoord, maar daarna gebeurde er een heleboel tegelijk. Dat wil zeggen, in verhouding tot wat er normaal gezien in mijn leven gebeurde. Een game was er niks bij. Dit was echt. *Foute genen, denk ik.* Ik zag dat Alva moest lachen. Om die genen. Het was eigenlijk een beetje stom, maar shit, ik moest scoren. Alva keek mijn kant uit. Ik deed alsof ik druk zat te lezen.

'Iedereen die op een verblijfsvergunning zit te wachten, bevindt zich in een benarde positie. Stel je voor dat je niet weet of je ergens mag blijven wonen of dat je terug moet naar een land waar het oorlog is.'

'Ze horen hier niet thuis!' riep Albin.

'Wie maakt dat uit?'

Helena was opgestaan. Daar was ze ineens mee begonnen. Ze was net een politicus, vond ik. Ze zou het liefst de hele dag op een podium staan debatteren.

'Een sterke leider. Niemand wil die mensen om zich heen hebben. Wie dat hardop durft te zeggen, krijgt mijn stem. En die van mijn vader!'

'Dus niemand mag van jou ons land binnen komen?'

'Ik heb het over de parasieten, over buitenlanders die alleen maar willen profiteren. Mensen die we goed kunnen gebruiken, zijn welkom.'

'Wat ben jij toch een stomme klootzak.'

Zoiets had ik Helena nog nooit horen zeggen. Meestal had ze het over gebrek aan sociale intelligentie en zo.

'Nou, nou, rustig aan, jullie twee.'

Ljunggren begon de controle te verliezen, zoals gewoonlijk.

'Jij denkt godverdomme dat je overal verstand van hebt! Mijn vader is zo meteen misschien wel zijn baan kwijt, omdat die … omdat die vuile indringers … ach, je kan de pot op.'

Ik keek naar Albin. Zijn hals was vuurrood. Ik denk dat Helena het ook in de gaten had. Ze zweeg. Albins pa werkte bij Hellevik Tools. De halve stad werkte daar. De andere helft had een baantje in het ziekenhuis. Hoewel er de laatste tijd heel wat waren die hun ontslag hadden gekregen. Toen ik klein was en Hellevik Tools nog Hellevik Mechaniek heette, was het een bloeiend bedrijf, zeg maar. Ze produceerden voornamelijk schroeven. Nu maakten ze onderdelen voor treinwagons en daar hadden ze volgens mij niet veel succes mee. Anders hadden ze al die mensen niet op straat gezet. De hele stad zat in feite in een dip. Gelukkig hadden we de Hellevik Tigers, die de sfeer een beetje opkrikten. Ubbes pa kon wel eens de held van de stad worden. Als hij die sportzaal ging bouwen. En dat gebeurde vast, als het team bleef winnen. Dat deden ze, als ze Yosseff niet kwijtraakten. Het was allemaal zo klaar als een klontje.

DE VOLGENDE KEER
ZITTEN ZE IN DE VAL,
DE RATTEN!

Sms'en was makkelijk. Naast haar staan niet. Ik rook haar geur. Ze had een soort zoete parfum op. Andere meisjes stonken naar toiletspray. Alva helemaal niet. Ik stond een beetje sullig voor haar kastje te hangen. Ze had niet gevraagd of ik met haar mee wou lopen. Ik deed het gewoon. Benutte de kans om te spioneren, iets op te vangen. Signalen die iets over haar zeiden. Levenstekens, zeg maar. Ik weet niet precies waar ik op hoopte en het zou eerlijk gezegd nog wel even duren voor ik het een en ander gevonden had.

'Hij draait wel door, vind ik', zei ik maar.

'Ljunggren? Ja, en altijd datzelfde jasje.'

Ik bedoelde Albin, maar maakte er geen punt van. Dat leek me niet zo slim. Op dat moment. Het ging erom dat we alleen waren. Andere zaken kwamen later wel. Als we elkaar beter kenden. Want dat wou ik. Ik wou alles over haar weten. Dacht ik. Dus waagde ik het erop.

'Die match vanavond ...'

'Ja?'

'Als je ook gaat kijken, dan zouden we ...'

'Zullen we in de zaal afspreken?'

'Ja, dat lijkt me een supergaaf idee! Oké dan, zie je vanavond.'

'Een supergaaf idee', hoorde ik mezelf zeggen. Wat was er zo verdomd gaaf aan het idee? Hoe gaaf was het vergeleken met bijvoorbeeld eerst samen wat eten en daarna samen naar de trein lopen en samen wat rondhangen en ... nou ja, weet ik veel. Aan de andere kant, we zouden samen naar de match kijken. En dat was gaaf genoeg. Zoiets gaafs had ik mijn hele leven nog niet beleefd. Ik knikte gedag en liep weg. De school was uit en ik wist dat ze dezelfde trein naar huis zou nemen. Maar ik vond het welletjes. Mijn zenuwen konden niets meer hebben. We zouden elkaar 's avonds terugzien en dat was mooi genoeg. Supermooi. Dus in plaats van samen met Alva in de trein te zitten, zocht ik ma op. Shit, ik leek wel een kleuter. Gauw bij mijn mama op schoot kruipen.

Sms'je van Ubbe: *Match vanavond?* Ik antwoordde: *Slachtpartij, bedoel je*. Daarna voelde ik me weer een beetje mens.

Wie heeft er behoefte aan een bibliotheek? Eigenlijk. Toen ik naar binnen ging en de muffe lucht opsnoof, had ik het gevoel dat ik in een soort kerk beland was. Een doodse kerker, klinkt beter. Er was geen kip, afgezien van ma en haar collega's. Ulla-Britt, die nog steeds niks van computers afwist. De stomme trut. Elke keer dat zij het flikte om een computercursus te ontlopen, ging ma tegen ons tekeer. Er liep ook een Elisabeth rond. Als ze niet dat omgekeerde po-kapsel had gehad en die slome broeken had gedragen, zou ik haar bijna knap genoemd hebben. Jan was de enige man.

'Je komt als geroepen. Kun je me even helpen?'

Ma kieperde een stapel boeken in mijn armen. Ze keek me niet eens aan. Ze had meer oog voor de lijst in haar hand.

'Wat een troep wordt er gelezen', bromde ze.

'Door wie?'

'Gewoon, door de mensen.'

'Ariërs?'

'Hè?'

'Grapje.'

Ik liep de koffiekamer in en had er meteen spijt van. Als ik had geweten dat Jan daar zat, hadden ze me met geen stok de kamer in gekregen. Nu moest ik eraan geloven. Het sap smaakte nog viezer in het bijzijn van een kerel met wie absoluut niet te praten viel. Ik hoopte vurig dat ma me nodig had en me kwam halen. Jan was de supersukkel van Hellevik. Ma was het niet met me eens. Ze beweerde dat hij best door de beugel kon en je kreeg het idee dat ze het over een winterjas of zo had. Als je hem zag zitten, kon je je niet voorstellen dat hij in staat was een boek op te tillen. Ik keek naar zijn magere armen. Het kwam in feite door hem dat ik af en toe mijn halters uit de kast haalde. Ik was als de dood om iemand als hij te worden. Hij was zo'n soort mens die je over het hoofd zag, die geen indruk maakte. Ik was meerdere keren bijna tegen hem aan gebotst als ik ma kwam ophalen. Gewoon omdat ik hem niet gezien had. Het duurde eeuwen voor ik vond dat ik weg kon gaan. Ik goot het laatste restje sap in mijn keel en gooide de beker in de prullenbak. Toen hoorde ik hem ineens kuchen.

'Je lijkt me een verstandige jongen ...'

'Uh ...?'

Ik zat niet graag naast ma in de auto. Het leek of ze de hele tijd met van alles en nog wat bezig was, behalve met autorijden. Dit keer bladerde ze in een stapel papieren. En had ze het over een gemeenteraadsvergadering. Ze was weer eens kwaad. Ik luisterde met een half oor en begreep dat de meerderheid liever een nieuwe sportzaal had dan een nieuwe bibliotheek.

'Dat zat er natuurlijk dik in. Die vadsige imbecielen zijn allemaal gek op sport', zei ma nijdig.

Ze bleef maar bezig met die papieren. Wou dat ik een verslag las. Ik pakte het blad aan en keek uit het raampje. Ma zanikte door.

'En weet je waar het door komt? Gebrek aan kennis! Als de mensen meer boeken zouden lezen, zou Hellevik een bloeiende stad zijn. Daar komen echt grote problemen van, dat mensen amper lezen.'

'En als ze lezen, dan is het troep?'

'Ja, dat klopt.'

'En hoe bepaal je dat? Wat troep is en wat niet?'

'Dat is nou net een van de belangrijkste functies van een bibliotheek.'

Ma wond zich steeds meer op. Dat hoorde je aan haar zogenaamd poeslieve stem.

'Dus jij beslist?'

'Hoezo, beslist?'

'Jij beslist wat goede boeken zijn?'

'Ik niet alleen. Het hele team. Ulla-Britt, Elisabeth, Jan en ik. We werken best goed samen en …'

'Die Jan …'

'Ik weet dat je het een vreemde vogel vindt, maar hij is een schoolvoorbeeld van iemand die kennis serieus neemt. Hij is een ouderwetse boekenwurm, een levende encyclopedie. Een wandelende wikipedia, moet ik zeggen. Dan snap je misschien waar ik heen wil.'

Ik besloot mijn mond te houden over Jan. Waarom weet ik niet. Misschien begreep ik niet echt waar hij mee bezig was. Wat voor iemand hij was. Daar kwam je niet zo snel uit. Wie was Alva? Had ze iets weg van Jan? Hoe kwam ik in godsnaam op dat idee? Ik keek op mijn horloge. De match begon om zeven uur. Al kreeg ik, zeg maar, een acute blindedarmontsteking, ik zou ervoor zorgen dat ik op tijd naast haar zat.

... IN FEITE DE ENIGE ZAAK DIE EEN EREPLAATS IN DE DIVISIE KAN VERKNALLEN. SPELEN ZE HET VOLGENDE SEIZOEN ZONDER YOSSEFF, DAN ...

OF ZIJN WERKVERGUNNING, DIE ROND DE JAARWISSELING VERLOOPT, WORDT VERLENGD, IS DE GROTE VRAAG. WE SPELEN ALLISON WEISS. 'FINGERS CROSSED'.

HELLEVIK TIGERS

Uit

NÄSLUNDA COMETS

Hoe kon je in godsnaam voor een bibliotheek zijn? Met zo'n basketploeg?

Het ging best goed, deze eerste keer dat we samen op een match waren. We praatten niet over het gedoe rond Yosseff. Ik kan het niet goed uitleggen, maar het had iets politieks. Een rottig tintje, zeg maar. Misschien kwam het ook door iets anders. Het maakt niet uit, we liepen in ieder geval samen naar het station. Wij en Ubbe. Alva en ik zeiden bijna niets, vergeleken met Ubbe, de zwamneus.

'Nu moeten ze die knoop echt doorhakken. Hoeveel matchen moeten ze nog? Vier of zo? Het is niet te geloven. Wat een getreuzel. Mijn vader is allang aan het projecteren. Er komt een hartstikke tof café. Die kantine die ze nu hebben, mogen ze bij het grof vuil zetten.'

'Wat is dat, projecteren?'

Het was voor het eerst dat Alva en Ubbe met elkaar spraken. Dat merkte je, dat wil zeggen, ik merkte het aan Ubbe. Hij moest even blijven staan voor hij iets terugzei. Daarna ging hij door met kletsen. Opscheppen.

'Dan bereken je hoe groot alles moet worden. In verhouding tot de tekeningen en zo. En waar de buizen lopen. Er komen heel veel wc's, wel een stuk of vijfentwintig.'

'Woow', zei Alva en het klonk alsof ze echt geïmponeerd was.

Toen vroeg ik me af of ik daar zin in had, om een relatie te hebben met een meisje dat onder de indruk was van wc's. Hoewel er nog lang geen sprake was van een relatie. Ik had het idee dat het nog wel een half jaar zou duren voor ik opnieuw de moed kon opbrengen.

Eigenlijk was ik er best blij om, dat Ubbe het woord voerde. Ik zou niet geweten hebben waarover Alva en ik het hadden moeten hebben. Nu konden we het mooi aan Ubbe overlaten. Maar dat we elkaar op deze manier beter leerden kennen, kan ik niet zeggen. Ik keek haar wel vaak aan. Kon het niet laten. Ze was zo mooi. Ubbe zou met zijn pa meerijden als hij klaar was met plannen smeden op het gemeentehuis. Alva was op de fiets. Ubbe stak zijn hand op en slenterde in de richting van het plein. Alva en ik bleven achter. We waren eindelijk alleen. Eventjes. Toen zei ze iets vreemds.

'Ik geloof niet dat ik meedoe vanavond. Ben veel te moe.'

'Dat je waaraan meedoet?'

'Er zijn er nog twee over, toch?'

'Twee over?'

'Ja, en dan gaan we ermee door.'

'Jullie?'

'Ja, de hele groep gaat de straat op. Best vet. Ciao!'

Ik wist niet hoe ik moest reageren. Er kwam van alles bij me op. Het werd alleen maar: 'Nou, dag.' Verder niets. Geen kusje of knuffel. Ik zei gewoon gedag en even later zat ik in de trein. *Ja, en dan gaan we ermee door.* Het klonk absurd. Deed me denken aan Albin. Maar Albin was een rund. Alva was Alva. Godverdomme.

Ma zat voor de tv toen ik thuiskwam. Ze zag er pissig uit. Nog steeds. Of weer. Ik vroeg wat er was. Ze zette het geluid zachter en keek me aan.

'Je vader gaat vanavond op vluchtelingenjacht.'

'Hij is niet de enige', zei ik.

Ik liep de keuken in en vulde de waterkoker.

Ma kwam achter me aan.

'Het is te gek voor woorden. Dat ben je toch met me eens?'

'Ik weet niet', zei ik.

'Ik weet niet? Hoe kun je dat nou zeggen?'

'Moeten ze dan maar gewoon rondlopen en spullen jatten?' zei ik.

Daar gaf ze geen antwoord op. Ik pakte de thee. Ze bleef vlak achter me staan. Ik draaide me niet om. Goot water in een kop en deed er een theezakje in. Keek door het keukenraam. Het was aardedonker buiten. Toen zag ik ma's spiegelbeeld. Ze staarde me aan. Ik nam een slok thee. Shit. Veel te heet. Ik liet de kop bijna uit mijn handen flikkeren. Toen ik opkeek, was ma verdwenen. Ik deed wat koud water bij de thee en nam de kop mee naar pa's werkkamer. Zette de politieradio aan.

'Ja, mensen. Dit gaat een druk nachtje worden. Nu al een man of vijftien op het plein. De harde kern. Meer relschoppers onderweg. Nadere info volgt. 48 is ter plekke en verspreidt de groep. Hou jullie paraat. Over.'

'Dit is 43. We rijden er even langs. Zijn nu bij Dalsjömotet. Over.'

'Prima. Maar zonder toeters en bellen. Dat komt later. Over.'

'Begrepen. Over en uit.'

De straat was verlaten. Ik herinner me dat ik vond dat de straatlantaarns op douches leken waaruit geel water sproeide. Dat kwam door de mist. Mijn benen prikkelden.

'47 hier. Bij de Statoilpomp hebben ze weer bezoek gehad. Over.'

'Dezelfde boevenbende als laatst? Over.'

'47 weer. Nee. Volgens Malmström een stel knullen hier uit de wijk. Bleekgezichten. Kom.'

'Vanavond hebben we de poppen aan het dansen, mannen. Over.'

Ik ging rechtop zitten. *De poppen aan het dansen?* Ik begreep niet goed wat er bedoeld werd. Had Alva hier iets mee te maken? Samen met Albin soms?'

Ma zat onderuitgezakt te zappen. Met haar voeten op tafel.

'Ik ga even de deur uit', zei ik.

'Jij ook al?'

'Hoezo, ik ook al?'

Ik had geen zin om iets uit te leggen en bovendien had ik geen idee wat ik van plan was. Ik bleef op de buitentrap staan. Liet mijn ogen door de tuin dwalen. Tuurde naar de struik waar ik het blikje had gevonden. Het was alsof ik een stomp in mijn buik kreeg toen ik iets zag glimmen. Dit keer was het een bierblikje. Ik stopte het in mijn zak en liep de straat op. Shit! Welke smeerlap dumpte die rotzooi in onze tuin? Het was een uur of negen. Achter de meeste ruiten scheen licht. Toen hoorde ik het geluid van een auto. Met gierende banden kwam hij uit de Orrweg. Net een Amerikaanse film. Even later sjeesde hij me voorbij. Het was een oude Volvo 740, met deuken en opengedraaide raampjes.

'Nu gaan ze eraan!' schreeuwde iemand.

Ik keek niet opzij, maar zag door de achterruit dat de wagen bomvol was. Ik denk dat ze wel met z'n achten waren. Er werd een bierblikje op straat gekwakt. Het belandde bijna op mijn voeten. Ik bleef staan. Hoorde dat de auto doorreed naar het centrum. Alva. Zij zou er toch niet in gezeten hebben? Albin leek me logischer. Maar hij zou vast iets naar me geschreeuwd hebben. Wat had ik gedaan als ze gestopt waren? En moeilijk begonnen te doen? Was ik weggerend? Naar huis? Had ik bij de buren aangebeld? Er werd ergens getoeterd. Bij het plein misschien. Zou er al iemand voor die auto uit rennen, als een bange haas? Ik dacht aan pa, die daar in de buurt was. Die al dagenlang nergens anders over sprak. Die vond het beter als ze er niet meer waren. Ik vroeg me af wat hij bedoelde. Wou hij dat ze dood waren? Zou het dan allemaal veel makkelijker zijn? Voor wie? Van Albin zou je in ieder geval minder last hebben. En Alva zou … Ze zou zijn zoals ik wou dat ze zou zijn. Leuk vond ik haar trouwens nog steeds. En hoe ze overal over dacht, was dat nou echt zo verdomd belangrijk? Hoe vaak zaten ma en pa met elkaar te praten? Echt te praten? Een keer of nul per week? En wie bepaalde trouwens dat dat verkeerd was? De mensen die vonden dat je Zweeds moest leren als je hier kwam wonen? Ik kreeg zin om Alva te bellen, gewoon om iets gewoons tegen haar te zeggen. Maar ik kon niets bedenken en daarom liet ik het plan varen.

Ik ging terug naar huis en plofte naast ma op de bank neer. Er was weer niks dan bullshit op de buis. Als je van een sportzender overschakelde naar iets anders, kwam je geheid terecht in een programma waar net iets poeplolligs was gezegd. En maar lachen, gieren en brullen. Ik keek ma van opzij aan. Ze grinnikte om een bijzonder geestige grap.

'Even naar de bowlingbaan, voor een rondje met de jongens.'

'Schat, je houdt helemaal niet van bowlen.'

'Nee, maar wel van een pilsje, haha.'

Jezus, wat was daar nou leuk aan? Ik schudde mijn hoofd.

'Moet je daarom lachen?'

'Eh, niet echt.'

'Waarom lach je dan?'

'Weet ik veel. Gewoon. Het gaat vanzelf.'

Zoiets stoms had ik nog nooit gehoord en ik vond dat ik net zo goed in mijn nest kon kruipen. Welterusten zei ik toen ik al bijna boven was. Ma gaf nauwelijks antwoord. Ze zat zich weer zomaar slap te lachen. Waarom werd daar niet tegen geprotesteerd? Tegen dit soort programma's? Ik vertikte het om mijn tanden te poetsen en liet me achterover op het bed duvelen. Het duurde twee seconden. Toen sliep ik.

PING

PONG

Vraag me niet hoe we achter die pingpongtafel belandden, maar het was tof. Hartstikke tof. Om iets te laten zien waar ik goed in was. En ze was duidelijk geïmponeerd. Zeker weten. Na afloop trakteerde ik op een ijsje in het café. Ook dit keer praatten we niet veel met elkaar. Ik liet haar zien hoe je het batje vast moest houden. Ze zei dat ze alles in haar oren knoopte en dat ze me de volgende keer zou verslaan. Dat was, wat mij betreft, het belangrijkste wat er die dag gebeurde. Dat ze het over de volgende keer had.

Daarna dook Albin op. Je kon hem al van ver horen aankomen. Hij was samen met een boel anderen. Een aantal uit onze klas en een stel uit de negende. Ik herkende ook een paar van de jongens die pamfletten hadden uitgedeeld op het schoolplein. Omdat ze vroeger bij ons op school hadden gezeten. Ik keek naar Alva. Ze had geen oog voor mij. Ze gluurde naar de knullen die iets verderop waren neergestreken. Hij was niet het middelpunt, Albin, maar hij had wel de grootste mond.

'Reken maar dat het pijn deed!' riep hij hard.

Hij zwaaide met het onderzettertje. Zo noemde hij het in ieder geval toen hij ermee bezig was op handenarbeid.

'Au! Sukkel!'

Ik geloof dat hij Mange heette, de jongen die naar zijn hals greep. Albin had hem zeker laten voelen hoe scherp de punten waren.

'Als messen! Dat hij niet dood neerviel, is een wonder!'

'Hoe weet je nou dat je hem geraakt hebt? Het was hartstikke donker!'

'Hallo! Ik hoorde hem gillen. De brul van een bloedende bosjesman!'

Alva grinnikte. Ongeveer zoals ma voor de televisie. Nee, het was precies als ma. Het was exact hetzelfde lachje.

'Wedden dat hij ergens in een steegje ligt dood te bloeden?'

Ik keek naar zijn metgezellen. Ze luisterden niet naar Albin. Ze waren druk aan het fluisteren. Ik zag dat er een dikke stapel pamfletten tevoorschijn werd gehaald. Geel van kleur, net als de vorige keer. Ze rukten het elastiekje eraf en daarna gooiden ze de hele stapel in de lucht. Het sneeuwde pamfletten. Er kwam een leraar uit een van de gebouwen en hij holde meteen als een gek achter de dwarrelende pamfletten aan.

'Heil Hitler!' schreeuwden een paar knullen voor ze met z'n allen door de grote poort wegrenden.

Replay bij maatschappijleer. Hetzelfde gekakel over de aarde die van ons allemaal is en rechten die voor iedereen moeten gelden. Hetzelfde gekakel van Albin, die beweerde dat hij het recht had om te eisen dat ze ophoepelden. Hetzelfde gekakel van Helena, die vond dat Albin opgepakt moest worden.

'Oké. Iedereen die het goedvindt dat ze hierheen komen en onze winkels leegplunderen en uitkeringen opstrijken, steekt een hand omhoog.'

'*Onze* winkels? Wat is dat nou weer voor onzin?! De Statoilshop is bijvoorbeeld hartstikke Noors.'

'Hou je snater, trut. Handen omhoog!'

Het leek alsof de klas wakker geschud werd. Er klonk overal gefluister en handen werden opgestoken. Ik keek naar de leraar. Hij had iets paniekerigs.

'Nee, dit gaat niet door. Hierover wordt niet gestemd.'

'Nee? Leven we in een dictatuur soms?'

Albin was opgestaan. Waar hij de kracht vandaan haalde, moet je mij niet vragen. Maar niet van Onze-Lieve-Heer in ieder geval.

'Albin, nu is het genoeg!'

De uitdrukking op het gezicht van de leraar was veranderd. Om zijn ogen zaten witte kringen. Hij pakte Albin hardhandig bij zijn pols.

'Au! Dit is godverdomme een politiestaat!'

Toen hoorden we het brandalarm. Iedereen sprong overeind.

'Rustig allemaal! Ga in een rij staan, dan lopen we samen naar buiten!'

'Loop naar de hel!' schreeuwde Albin.

En dit keer leek iedereen het met hem eens te zijn. In de gang was het één grote chaos. Leerlingen uit de zevende stormden op ons af. De conciërge probeerde ons allemaal naar een andere uitgang te loodsen. Op een gegeven ogenblik stond zowat de hele school op een kluitje. Op een gigantische kluit. Ook de ukkies van de kleutergroepen stonden ertussen gepropt. Er werd gehuild.

'Iedere klas naar zijn verzamelplaats!' riepen de leraren door elkaar heen.

'De school staat in de fik!'

We mochten vóór de lunchpauze naar huis. De kantine was afgebrand. Hoe het kwam, kwamen we niet te weten, maar ik had een sterk vermoeden. Het hele schoolplein was bedekt met gele pamfletten.

'Kom, we gaan naar Falconetti', zei Ubbe.

Ik keek om me heen. Alva was nergens. Shit!

FALCO

NETTI

Ik schreef mijn naam onder die van Ubbe. Hij had het al vijftien keer gedaan. En hij bleef net zo lang zaniken tot ik het nog een keer deed, maar met een ander handschrift. Het zag er niet uit. Daar trapte echt niemand in.

'Brave jongen. Je krijgt een paar vrijkaartjes van me als de hal er is', zei Ubbe.

Yosseff was ongeveer van levensbelang, volgens Ubbe. Zonder hem werd er niet gewonnen, en zonder overwinningen geen toeschouwers, en zonder toeschouwers geen hal. Dat had hij me al duizend keer ingepeperd.

'En de nieuwe bibliotheek dan?' zei ik.

'Vergeet het', zei Ubbe.

We bestelden allebei een Yosseff Speciaal en gingen buiten zitten wachten.

'Die MC4 ... Jezus, je gaat helemaal uit je dak', zei Ubbe en hij schudde zijn hoofd.

Mortal Combat 4. Waarvoor hij in zijn tentje in de Sveaweg in Stockholm had gekampeerd. Ik wist dat hij weer de oren van mijn kop ging zwammen. Ik wipte mijn stoel naar achteren. Leunde met mijn hoofd tegen de ruit.

'Je hebt de doos nog niet eens gezien.'

Ubbe haalde hem uit zijn rugzak en gaf hem aan mij. Met een gemene grijns.

'Rarara, wat is dat?' zei hij. Hij wees naar het plaatje op de voorkant.

'Een muur.'

'Mis.'

'Sorry, ik zie alleen maar een muur. Met een barst erin.'

'Ja, dat zou je denken, op het eerste gezicht.'

'Wat is het dan?'

'Het is een close-up. Goed kijken. Het is huid. En een wond.'

'Huh?'

'Je snapt het zo meteen, als we aan het gamen zijn. Alles draait om pijn.'

Ik had totaal geen behoefte om het te snappen.

'Je gaat nu pas leren wat pijn is', zei Ubbe en hij draaide de doos om. *Torture mode.*

'Je doet een soort hulsje om je vinger en als je een blunder maakt, krijg je een elektroshock. Big time!'

Het deed echt hartstikke pijn. Ubbe had er geen idee van. Hij had niet één schok gehad. Ik wel tien.

'Haha! Maar je moet toegeven dat dit de coolste game is die er bestaat! Het is godverdomme precies zoals in de werkelijkheid.'

De werkelijkheid. Ik vond het eerder een nachtmerrie. De nieuwe trucjes waren veel erger dan ik me had voorgesteld. Maar Ubbe had gelijk. Het was allemaal net echt. Het geluid, de stemmen. Het irritante deuntje van de vorige versie hadden ze vervangen door gegil en geweersalvo's. Het leek alsof je ertussen zat. Of je in de hel was beland.

Ik trok het stomme dopje van mijn vinger. De verbinding met de game was verbroken. Godzijdank. Ubbe kroop naar de spelcomputer en haalde de game eruit. Hij bleef maar grinniken. *Torture mode.* Krankzinnig gewoon. Maar het werd er wel spannender op. Het zweet droop van mijn handen.

'Wacht maar. De volgende keer laat ik jou sidderen', zei ik. Hoewel ik wist dat dat me nooit zou lukken.

Ubbe stopte de game in de doos en rolde de snoertjes van de vingertopjes op. Langzaam en heel voorzichtig. In de klas smeet hij z'n spullen altijd in zijn tas. Zijn boeken zagen er niet uit. Maar dit spel behandelde hij alsof het van glas was. Maar ja, voor zijn wiskundeboeken had hij niet in de regen in een tentje gelegen.

'Je bent echt blij, hè, met je nieuwe speeltje?' zei ik.

'De eerste honderd kopers kregen een heel bijzondere pet.'

'Ja, dat zei je.'

'Ik behoor tot de lucky few', zei Ubbe en hij gaf me een knipoog.

'Dat kan best, maar eigenlijk vind ik het een sadistisch spelletje', zei ik.

'Dat is nou net de bedoeling, slimmerd! Je moet het goed voelen, anders is het niet echt genoeg.'

Daar gaf ik geen antwoord op.

Ubbe bleef op de vloer zitten en bestudeerde de plaatjes in de piepkleine bijsluiter. Hij las stukjes voor uit de tekst, die in het Engels was. Engels was niet zijn ding, maar toch begreep ik donders goed dat we het ergste nog voor de boeg hadden.

Als je het spel goed speelde, kwam je in een soort interneringskamp terecht, waar je gevangenen mocht verhoren. *Interrogate*. We waren het erover eens dat dat 'verhoren' betekende. Het was je eigen keuze of je gevangen wou worden of iemand gevangen wou houden. Om op een hoger level te komen moest je verschillende wachtwoorden uit je gevangene persen. En dan had je pas echt plezier van *Torture mode*. Want nu kon je de stroomsterkte opschroeven. Hoe meer spanning je duldde zonder je wachtwoorden te verraden, hoe meer punten je kreeg. Ten slotte belandde je in het paleis van de dictator. Maar voor hij zover was, raakte Ubbe verstrikt in de Engelse uitleg. En ook ik begreep geen moer van alle lange woorden en ingewikkelde zinnen.

'Shit, als Yosseff niet meer mag spelen, wordt het een schandaal. En geen kleintje!'

'Ja, dan hebben we de poppen aan het dansen', zei ik.

'Enig idee hoeveel entreegeld ze opstrijken bij één thuiswedstrijd?'

'Nee, hoeveel dan?'

'Een kaartje kost 30 kronen en er kunnen er vijfhonderd in de zaal.'

'Dus?'

'Het gaat om veel geld.'

'Ja, nogal.'

'Maar weet je hoeveel er in onze hal gaan?'

'Onze hal?'

'Drieduizend vijfhonderd!'

Dat was pure nonsens, maar Ubbe leek het zelf te geloven.

'Geen wonder dat iedereen bij pa komt bedelen om een baantje in zijn bedrijf.'

'Iedereen?'

'Iedereen die bij Hellevik Tools werkte. Onder anderen.'

'En wat zegt jouw pa tegen die lui?'

'We zullen zien. Hij is ineens de big boss geworden. Zeg, ik ga ervandoor. Zie je.'

Hij gooide mijn deur dicht en ik begon de chips op te rapen die over de hele vloer verspreid lag. We hadden erop gezeten en ik zag dat het kleed vol zat met piepkleine kruimels. Ik wou net de stofzuiger gaan halen toen er aangebeld werd. Ubbe, dacht ik.

Ik rukte de voordeur dicht. Ik kon bijna aan mijn trui zien hoe keihard mijn hart bonsde. Jezus, wie was dat? Ik zei het binnensmonds, alsof ik een gebedje opzei. Maar ik wist het best. Bijna zeker, bedoel ik. Ook al had ik hem nog nooit gezien. Het waren de blikjes. Het kon niet anders. Hij was het. Ik drukte mijn oor tegen de deur en luisterde. Stond hij er nog? Hoe lang zou hij blijven staan? Godverdomme, alsof ik iets voor hem kon doen! Rot op, had ik willen schreeuwen. In het Afrikaans of hoe het ook heette. Ik haalde een paar keer diep adem, wachtte tot mijn hart wat kalmeerde. Maar dat gebeurde niet.

Na een tijdje opende ik heel voorzichtig de deur. Niets te zien. Geen spoor te bekennen. Alsof ik het gewoon verzonnen had. Was het maar waar. Dat het verbeelding was. Toen ging mijn mobieltje.

'Zeg, we vergaten het over de match te hebben. Ga jij erheen?'

Het was Ubbe. Ik slikte. En slikte nog een keer.

'Hallo, hoor je me?'

'Uh … ja, ik hoor je.'

'Nou? Ga je naar de match?'

'Ja …'

'Wat heb je? Hebben die elektroshocks je hersenen gemold?'

'Ik bel je zo meteen, oké?'

'Is er iets?'

'Nee, tot zo.'

Ik ging met mijn rug tegen de muur staan. Zette het mobieltje uit. Keek door het raam de tuin in. Niemand te zien. Geen blikjes. Niets. Wat had hij gedacht? Dat ik hem binnen zou laten? Alsof je dat kon maken. Aanbellen en eisen dat je binnen werd gelaten. Het idee.

Ik liep de trap op en mijn kamer in. Maar ik had daar niets te zoeken. Ik was veel te hyper. De match! Ik toetste het nummer in. Alva's nummer.

'Alva? Met mij.'

'Met wie?'

'Ga je naar de match?'

'O, ben jij het. Ja, leuk.'

'Dan zie ik je daar. Oké?'

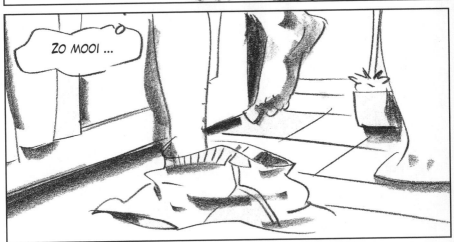

139

Nu gebeurt het, herinner ik me dat ik dacht. Misschien krijg je altijd je zin als je maar genoeg wilskracht hebt. Vanavond zou ik weer naast haar zitten. Ik liep naar beneden, met mijn mobieltje in mijn hand. Had geen zin om Ubbe te bellen. Sms'en was een uitkomst. Je hoefde geen woord te zeggen. *Ben om 6u bij jou.* Weg ermee. Ik staarde naar het display. Bericht verzonden.

Daarna keek ik op. Het was akelig om weer bij de voordeur te staan. Ik liet mijn mobieltje op het gangkastje liggen en liep terug naar boven, met twee treden tegelijk. Ik had het gevoel dat er iets was met het halletje. Dat de geest van die knul er nog steeds rondzweefde, zeg maar. Ik had amper een voet op de overloop gezet toen ik mijn mobieltje hoorde piepen. Een sms'je. Ik wist dat het van Ubbe was en ging niet terug naar het halletje. Ik hing de handdoek over de trapleuning, ook al had ma daar een bloedhekel aan. Het hout werd er lelijk van. So what? Nu stond ik in mijn blootje. Ik probeerde aan Alva te denken. En besefte tegelijkertijd dat ik daar niet zo moest blijven staan. Stel dat iemand me zag. Ik zocht pa's werkkamer op. Alva. Alva. Maar toen ik de politieradio in het oog kreeg, raakte ik van slag. De gedachten aan Alva werden verstoord door de zwarte knul. Shit! Alva, kom weer bij me! Fuck! Ik zette de radio aan. '42 hier. Een 2:a. Stond geboekt in het MSP. Opgepakt in de Klosterstraat. Zonder verzet. Over.' '44 hier. Is hij geïdentificeerd? Over.' 'Ja, Dahlström van het asiel zegt dat het er eentje van hen is. Een zekere Ngoho of zo. Over.' 'Goed gedaan. Over en uit.' De Klosterstraat, dat was bij ons in de buurt. Shit! Wedden dat het die knul was? Als ik de deur niet had dichtgesmeten, dan … Shit! Maar jezus, hoe had ik moeten reageren? 'Hoi! Kom binnen! Wil je iets eten?' Ik liep rondjes door de kamer. Als een zombie. Tot ik me realiseerde dat ik poedelnaakt was.

In een halve minuut had ik me aangekleed. Met gesloten ogen liep ik door het halletje. Ik kneep ze stijf dicht en zocht op de tast naar de deurklink. Ik had echt de pest aan het halletje en wou zo snel mogelijk naar buiten. Frisse lucht, daar snakte ik naar. En ik zou zorgen dat ik geen stap in de Klosterstraat zette. Zeker weten. Maar ik kon het niet laten een blik onder de struik te werpen. Mijn ogen werden ernaartoe gezogen, leek het wel. Shit! Maar er lagen geen nieuwe blikjes. En nu zat hij in de nor, of waar ze die 2:a's onderbrachten. Opgepakte kinderen. Als zoekgeraakt geregistreerd in het MSP, de lijst van vermiste personen.

Thuis

HELLEVIK
TIGERS

Uit

SOLLEN-BERGA IF

'Wat een kanjer, hè?' Ubbe deed in slow motion na hoe Yosseff omhoog-sprong en de bal in de korf wierp. Het leek nergens naar.

'Bedoel je Yosseff?' zei ik.

Alva zei niets. We liepen samen naar de trein. Ubbe had weer het hoog-ste woord. Maar dit keer keken Alva en ik elkaar steeds aan. Ubbes geklets was meer een soort achtergrondmuziekje. We luisterden er nauwelijks naar. Soms schoten we plotseling in de lach. Zomaar, en niet omdat hij iets leuks zei. Het was alsof we aan hetzelfde dachten. Aan onszelf, zeg maar. Ik wou dat Ubbe ophoepelde, zodat we met z'n tweetjes waren. Geen domme vra-gen stellen, alleen maar praten. Misschien niet alleen maar.

'Zeg, gaan jullie naar de disco?' zei Alva plotseling.

Ik wou dat ze het alleen aan mij had gevraagd.

'Tuurlijk', zei Ubbe.

Ook al had hij de pest aan disco's.

'Misschien. En jij?' zei ik.

Ze haalde haar schouders op.

Ubbe zwamde door. Hij vertelde hoe ik van schrik tegen het plafond knal-de toen we aan het gamen waren. Alva moest erom lachen en daarom lachte ik ook. Ik had geen keuze, maar ik had Ubbe het liefst een trap tegen zijn ballen gegeven. Misschien had hij in de gaten dat ik hem een lul vond.

'En populair dat mijn pa is! Iedereen wil voor hem werken.'

'Dat heb je al verteld.'

'O. Nou, sorry.'

'Mijn vader had het er ook over. Dat hij misschien zou solliciteren', zei Alva toen.

'Moet hij doen', zei Ubbe.

'Krijgt hij dan werk?'

'Dat is bijna zeker, denk ik.'

'Ze moeten hem voor laten gaan, vind ik.'

'Vóór wie dan?' zei Ubbe.

Ubbe begon weer over de match te wauwelen. Over een driepunter die subliem was. Een afstandsschot, precies één seconde vóór de scheidsrechter het einde van de eerste helft aankondigde. Het was ineens doodstil in de zaal en iedereen zag hoe de bal naar de basket werd gezogen. Aldus Ubbe.

Als het een gewone avond was geweest, ik weet het niet, maar misschien zou alles dan anders zijn verlopen. Nu was ik in mijn dooie eentje. Ik wandelde door het hele huis. Ging op de bank zitten. Zette de tv weer aan. Dezelfde bullshit. Ik liep naar de keuken. Koelkast open. Koelkast dicht. Toen hoorde ik een geluid. Ik ben echt niet bang aangelegd, maar toch kreeg ik de koude rillingen. Ik spitste mijn oren. Er was niks te horen. Geen piep. Ik nam een hap van een krentenbol. Er zaten van die stukjes in. Sukade. Ik had het wel duizend keer gezegd, dat ik dat smerig vond. Maar pa en ma waren er gek op. De hele zak kon je in de vuilnisbak kieperen. Toen was het er weer. Dat geluid. Een soort gekraak. Spooky.

Ik verroerde me niet. Stond een tijdlang te luisteren. Minstens een paar minuten. Haalde amper adem. Voelde mijn handen zweterig worden. Idioot gewoon. Ik was nooit bang. Thuis. Toen gaf ik een klap op het aanrecht en ging ik terug naar de woonkamer. Ik hoorde mezelf zingen. Dat deed ik anders nooit. Ik kende geen enkele tekst uit mijn hoofd. Maar nu galmde ik het uit. Op het deuntje van Mortal Combat. Een opera was er niks bij. Het klonk stupide. Het was stupide. Ik zat in mijn eentje op de bank keihard te zingen. Gekraak? Dat kon niet waar zijn. Ik kreeg pijn in mijn strot. Dit soort zingen was niet echt goed voor je stembanden. Ik hield mijn mond. Niks geen gekraak. De afstandsbediening lag voor het grijpen. Maar ik wou de tv niet aanzetten. Had geen gram puf over. Ik schrok me kapot toen mijn mobieltje piepte.

Alva. *Supertof, samen naar de match! xxx.* Ik bleef naar het display kijken. *xxx.* Woow. Het ging de goede kant op. Alva en ik. Shit, ik had kunnen vragen of ze zin had om met me mee te gaan. Naar huis. En dan wat? Het enige wat ik zeker wist, was dat mijn berichtje ook met *xxx* zou eindigen. Of misschien wel *kusje*? Ik drukte op 'Antwoord'. *Ja, moeten we vaker doen.* Fout. Ik begon opnieuw. *En wat een match, hè?* Helemaal fout. Wat had die match ermee te maken? Het ging om ons tweetjes. Dat was … Jezus, wat was dat?

151

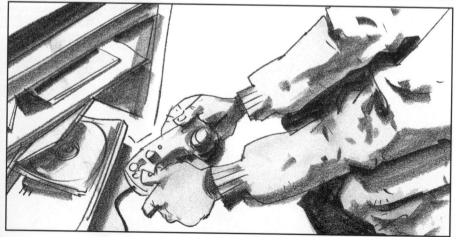

Ma keek me een beetje raar aan. Mijn ogen werden naar de kelderdeur gezogen. Hij leek wel magnetisch.

'Is er wat?' vroeg ze.

Shit! Kon je het zo goed merken?

'Nee, niks. Gewoon moe.'

Ik gaapte en het leek nergens naar. Ja, alsof ik gilde zonder dat er geluid uit mijn strot kwam. Maar dat drong niet tot haar door. Ze begon te kletsen over een boek dat ze in haar leeskransje aan het uitspitten waren.

'Doet Jan daar ook aan mee?' vroeg ik.

'Waarom vraag je dat?'

'Ik vroeg het me af, meer niet.'

'Ik wist niet dat je geïnteresseerd was in Jans doen en laten. Het antwoord is nee.'

'Ik heb schijt aan die vent', zei ik en ik liep de trap op.

'Haal die handdoek weg. Het hout wordt er lelijk van.'

Op mijn kamer liet ik me meteen op bed vallen. Mortal Combat stond op pauze. Ik keek naar het scherm, recht in de ogen van een doodsbange knul die op het punt stond neergeknald te worden. Waarom was ik zo stom geweest? Morgen gooide ik hem het huis uit, zeker weten. Ik moest hem zien uit te leggen dat dit niet werkte. Maar wat gebeurde er dan met hem? Hoogstwaarschijnlijk zou hij de struik weer opzoeken. En hoogstwaarschijnlijk zou hij door iemand gezien worden. Die belde de politie. Pa blij. En daarna bye-bye. Terug naar Afrika.

Yosseff dook op in mijn hoofd. En toen pas besefte ik dat ik het sportnieuws gemist had. Ik kon naar beneden gaan om naar de late uitzending te kijken. Of de resultaten checken op het internet. Maar dan zou ik weer met ma te maken krijgen. Misschien begon ze me opnieuw uit te horen. Dat risico was me te groot. Als ze maar geen kijkje nam in de kelder! Ze zou zich rot schrikken. Beginnen te gillen en … Misschien was die knul wel hartstikke mesjogge! En wurgde hij ma en nam hij mij als gijzelaar. Ik had echt geen idee wat voor type hij was. Een psychopaat. Dat kon ook. Ik moest aan pa vragen of die gasten gevaarlijk waren, bedacht ik, voor mijn gedachten een vreemd soepzootje werden. Alva kwam erin voor en krentenbollen die naar sukade smaakten en naar metaal. Toen sliep ik in.

'En nou donderen jullie op met die smerige troep!'

Helena leek wel hondsdol. Rolde met haar ogen. Albin grijnsde. Maar zag er niet helemaal relaxed uit.

'Hoho. Vrijheid van meningsuiting. Heb je daar wel es van gehoord?'

Ik stond naar ze te kijken. Iedereen keek. Behalve de leraren. Die waren nergens te bekennen. De pamfletbende leunde een eindje verderop tegen een auto. Was het dezelfde oude Volvo die met een rotvaart door onze straat was gesjeesd?

'Trouwens, je staat in de weg!'

Albin gaf Helena een zet, zodat ze haar evenwicht verloor en achteroverviel. Ze gaf een schreeuw en werd alleen maar woester. Trok zich er niets van aan dat haar elleboog bloedde. En daarna ging alles heel snel. Albin was totaal niet voorbereid op de lel. Er moeten minstens tien boeken in haar tas hebben gezeten, want hij schreeuwde het uit en sloeg zijn handen voor zijn gezicht.

'Vuile bitch!'

Toen werd het ineens stil. Helena zakte in elkaar. Bleef op de grond zitten. Albin riep iets. Ik weet niet meer wat. Daarna slenterde hij gewoon weg. Een paar leerlingen liepen naar Helena toe. Toen de bel ging, verdween bijna iedereen naar binnen. Ik ook. Maar ik zag dat er nog steeds een groepje op het schoolplein stond. Alva had ik nergens gezien. Ze zou vast en zeker iets gedaan hebben, bij Helena zijn gebleven, als ze erbij geweest was. Dacht ik. Op dat moment.

Toen ik door de gang liep, hoorde ik Albins stem op de eerste verdieping. 'Er is er nog steeds eentje op vrije voeten. Maar we drijven hem in het nauw, de zwarte stinkerd!' Er werd gelachen en iemand gaf een dreun tegen een metalen kast. Het galmde door de hele galerij. Ubbe schudde zijn hoofd. Ik haalde mijn schouders op.

'Ik ben het hartstikke zat.'

'Wat ben je zat?'

'Het hele gedoe. Die pa van je moet die laatste wegwerken. En snel.'

'Even doodschieten, bedoel je?'

'Die buitenlanders geven alleen maar moeilijkheden. Dat zie je toch zelf?'

Ik gaf geen antwoord.

Mijn haar zag eruit alsof iemand er mayo in gesmeerd had. Shit. Styling en prutsen met haargel was mijn ding niet. Ubbe zou over twintig minuten langskomen. De slimmerd had altijd een pet op. Dat zou ik ook kunnen doen, maar ik wou hem niet na-apen. Het was zijn trademark, zeg maar. Ik stak mijn kop onder de kraan en precies toen ik hem dichtdraaide, werd de achterdeur opengedaan.

'Hallo!'

Ubbes stem. Ik droogde mijn haar en toen ik in de spiegel keek, hoorde ik ineens dat hij met iemand aan het praten was. Jezus. Ik liet de handdoek uit mijn handen vallen. Probeerde snel een smoes te bedenken. 'O, dat is de jongen die bij ons schoonmaakt.' Nee, dat ging er niet in. 'De timmerman. Is aan het klussen hier in huis.' Shit. Dit liep helemaal fout!

Ik daalde langzaam de trap af en toen ik halverwege was, zag ik hem staan. Hij stak zijn hand op. Grijnsde. En praatte verder in zijn mobieltje. Ik zakte zowat door mijn knieën. Mijn hart hamerde. Ik moest iets drinken.

'Oké, pa. Ja, vanavond.'

Ik zette de kraan open en slurpte een liter water naar binnen. Zag uit mijn ooghoek dat Ubbe de keuken in kwam.

'Voel je je niet lekker of zo?'

Ik rukte de handdoek van het haakje en wreef over mijn haar. Ubbe stond me nog steeds aan te staren. Ik zag er niet echt geweldig uit, denk ik.

'Nu zouden we eigenlijk een beetje moeten indrinken.'

Ik had er meteen spijt van.

'Je pa heeft altijd wat lekkers in de kelder', zei Ubbe.

'Uh, nee. Hij … hij is ermee gestopt. Met drinken.'

'Helemaal gestopt met drinken?'

'Ja, maar misschien heeft ma nog een pilsje in de koelkast.'

We dronken twee biertjes, hoewel ik wist dat ik op mijn duvel zou krijgen van pa en dat we allebei zouden moeten pissen nog voor we bij de disco waren. De disco waar Alva ook zou zijn. Ubbe had meerdere pogingen gedaan om te weten te komen hoe ik over haar dacht. Ik had mijn mond gehouden. Niet omdat ik er niet over had nagedacht. Ik dacht nergens anders aan. Hoewel. Nu zat er plotseling nog een persoon in mijn kop. Een indringer. Ik zou zo van hem af zijn. Als ik het aan Albin vertelde.

Hij zou meteen in vuur en vlam zijn. Ik zou bijna een held worden. Wat Alva zou zeggen, was me niet duidelijk. Misschien vond ze me een grote klootzak. Tegen haar zou ik het trouwens wel durven zeggen, van die knul in de kelder. Eerder tegen haar dan tegen Ubbe.

De pilsjes begonnen te werken. En nu maar hopen dat ze het bijltje er niet te snel bij neerlegden. Ubbe had het weer over MC4. Volgens hem kon ik mijn games net zo goed weggeven. Aan een kinderdagverblijf. Hij had met zijn ma zitten gamen, maar hoe dat afliep, was bijna niet te horen. Zo moest hij om zijn eigen verhaal lachen. Ze was zich hoe dan ook lam geschrokken. Best cool. Maar als Ubbe iets vertelde, was het altijd cool. Misschien zou hij stand-upcomedian moeten worden. Of politicus? Maar dan moest je overal ideeën over hebben. Ubbe had maar één interesse. Computerspelletjes.

'Vind je echt dat alle asielzoekers moeten oprotten?'

Ik weet niet waarom ik die vraag stelde. Zo ineens.

'Hè?' Ubbe was er natuurlijk niet op voorbereid.

'Of zouden ze best hier kunnen blijven?'

'Zodat we nog meer relletjes krijgen? En Albin en die gestoorde vriendjes van hem nog meer reden hebben om "Sieg Heil" te brullen?'

Ik hield mijn mond. Maar eigenlijk had hij niet geantwoord. Niet echt. Ik moest proberen de vraag op een andere manier te formuleren. Er kwam echter niets beters bij me op. Daarom vroeg ik maar of z'n ma pissig werd, van die elektroshocks. En toen zat Ubbe weer op het juiste spoor.

Haar hele gezicht was groen. Dat kwam door de discobol. Toch was ze net zo mooi als anders. Ze was het mooiste meisje dat ik kende. Nu stond ik naast haar. Nu zou het iets worden tussen ons. Kon het iets worden. De bol veranderde weer van kleur.

'Je bent helemaal oranje', zei ik.

Niet erg snugger, maar ik kon niks beters verzinnen. Had het liefst allerlei leuke opmerkingen geserveerd. En complimentjes gegeven. Maar alles wat in mijn gedachten opkwam, klonk als in een film. En dit was de werkelijkheid.

'Jij ook', zei ze.

Ik glimlachte. Als een gekke Henkie, natuurlijk.

Iemand zette het volume hoger en nu kon je alleen de muziek horen. Ik deed wat ik me had voorgenomen. Als ik genoeg lef had. Dat had ik.

Het was niet bepaald mijn favoriete nummer, maar we dansten. En het kon me niet schelen dat we niet meteen begonnen te slowen. Dat kwam later. Als ik nog wat meer lef had. Zo had ik het gepland. Ik keek om me heen. Ubbe praatte met een stel uit de zevende. Ze zagen eruit als zijn kleine broertjes. Ik wist waarover hij het had. Kon het zien aan zijn gebaren. Hij hield zijn vinger omhoog. Zette het rubberen dopje erop. Kreeg een elektroshock. Begon hevig te schokken. Pure horrorfilm. Hij rolde met zijn ogen en hield zijn armen voor zich uit, als een door de bliksem getroffen kangoeroe. De jongens lagen dubbel van de lach. Ubbe was in zijn element. Nogmaals bedacht ik dat het doodjammer was dat ik mijn geheim niet met hem delen kon. Het was te riskant. Omdat ik geen idee had hoe hij erop zou reageren. Zou hij Albin waarschuwen? Naar Statoil stappen? Die zouden wat blij zijn als ze die knul het land uit bonjourden.

Alva danste met haar ogen dicht. Leek te zweven. Ik niet. Ik bewoog me als een poppetje uit een computerspel vol bugs. Houterig en bijna niet op de maat van de muziek. Misschien dat ze daarom haar ogen dichthield.

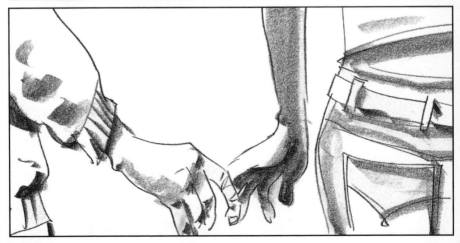

Ik rook aan mijn handpalm. Alva's parfum, gemengd met mijn eigen zweet-lucht. Net zoals deze hele avond. Zij – mooi en met een lekkere geur. Ik – nerveus en stinkend naar zweet. Maar het was me gelukt! Ik had met Alva gedanst. Het gevoel zat nog steeds in mijn lijf. Samen met de wodka van een knul uit 8f. Waardeloos. De drank knelde mijn hersenen af, zeg maar.

Het was elf uur en ik snuffelde in de koelkast naar iets eetbaars voor de knul in de kelder. Hoe zou hij heten? Mungabunga of zoiets? Waar kwam die stank ineens vandaan? Overrijpe schimmelkaas. Ik kokhalsde. Het was de bedoeling dat ik etenswaren koos waarvan ik zeker wist dat wij ze niet meer zouden opeten. Restjes die al zo lang in de koelkast lagen dat ze net zo goed weggegooid konden worden. Daar moest hij maar genoegen mee ne-men. Thuis kreeg hij vast niet meer dan één schaaltje rijst per dag. De lever-pastei mocht hij voor mijn part ook opeten. En de twee wortels. Oké. Het onaangebroken zakje met ham kon er nog wel bij. Ik brak een homp van het brood. Het oude. De krentenbollen! bedacht ik. Die mag hij allemaal oppeuzelen. Ik propte de hele lading in een plastic zak. Waarschijnlijk lag hij nu te slapen. Dat hoopte ik maar. Wat dit project betrof, ging ik volsla-gen onvoorbereid te werk. Zonder plan, zonder verstand. Ik gaf de wodka de schuld. Die troep kwam er bij mij niet meer in. Ik deed de kelderdeur open en luisterde of ik iets hoorde. Toen realiseerde ik me dat ik eerst moest checken of pa en ma al naar bed waren. Ik wou de deur net sluiten toen ik voetstappen hoorde, op de trap. Het duurde ongeveer één seconde voor ik in de gaten had van welke trap het geluid kwam. Met de plastic zak in mijn ene hand en de andere op de deurklink bleef ik roerloos staan. Verstijfd. Stel dat hij echt een psychopaat was. In dat geval zou hij vast en zeker de kans benutten om de zak uit mijn hand te rukken en mijn nek te breken. Daarna zou hij naar boven sluipen om pa en ma met een kussen te verstikken. Ma zou een koud kunstje zijn, maar pa zou hij niet aankunnen. Tenzij hij hem eerst een klap tegen zijn kop gaf. Ik zag voor me hoe hij het deed. Met de lamp die op het nachtkastje stond. Die ik op handenarbeid gesmeed had. Wat een drama. Pa werd vermoord met het kerstcadeautje van zijn eigen zoon. Als ik naailes had gekozen, zou hij het overleefd hebben. Ik zette de deur open en tuurde in het donker.

SEE YOU TOMORROW ...

YES, TOMORROW, GOOD.

THANK YOU.

KOM JE NU PAS THUIS? WEET JE HOE LAAT HET IS?

UH, YES, IK BEDOEL, JA. NOU, TRUSTEN.

'Zeg, dat is toch niet normaal, om pas om twee uur 's nachts thuis te komen?'

'Ik wist niet dat het zo laat was.'

'Dat wist je niet? Hoe kan dat in godsnaam? Wat hadden jullie zo laat nog op straat te zoeken?'

'Niks bijzonders. We waren gewoon met elkaar aan het praten …'

'Jullie zaten toch niet achter die stumpers aan? Of zijn ze nu allemaal opgepakt? Åke, hoe zit dat? Zijn ze weer terug in het asielzoekerscentrum?'

'Åke, hallo!'

'Ja, bijna allemaal. Er ontbreekt er nog maar één.'

Ik keek van ma naar pa. Voelde dat ik amper adem kon halen.

'O, nou, dan hoop ik niet dat jullie achter die ene arme duvel aan zaten.'

'Ma, hou op. We waren naar de disco. Die gasten kunnen me geen reet schelen!'

'Die gasten?'

'Ja, die vluchtelingen. Ik ga me daar echt niet druk om maken.'

Ma staarde me aan. Schudde haar hoofd.

'Ik heb de indruk dat je net zo ongevoelig aan het worden bent als het merendeel van de mensen.'

Ik gaf geen antwoord. Plotseling besefte ik dat dit me bijzonder goed uitkwam. Het was bijna te mooi om waar te zijn.

'Die gasten laten me in ieder geval koud', zei ik daarom, voor ik mijn glas leegdronk en opstond.

Ik hoorde dat pa en ma begonnen te kibbelen.

'Je moet je een beetje inhouden. Dit is toch nergens voor nodig?'

'Ik begrijp niet dat jij het allemaal doodnormaal vindt. Een agent zou het vreselijk moeten vinden als zijn zoon 's nachts op vluchtelingen jaagt!'

'Hij zei alleen maar dat hij zich niet druk maakt over die lieden. Weet je waar ik me druk over maak? Dat er geen broodbeleg in de koelkast is!'

'Wat een onzin. Ik heb gisteren nog ham gekocht. En er is leverpastei.'

'Ja, waar dan?'

'Grote goedheid. Dit land gaat naar de knoppen en jij zanikt over vlees-waren!'

Ma rolde met haar ogen. Zeker weten.

Ik stond al op het schoolplein toen ik me ineens afvroeg of ik had moeten checken of hij genoeg eten had. Abdi. Zo heette hij. Op de hele school was er die dag geen pamflet te zien. Maar in de trein had ik een stapel zien liggen en voor het station had iemand er een zwik laten vallen.

'Laten vallen? Mooi niet', zei Ubbe.

Hij had natuurlijk groot gelijk. En was weer eens goedgebekt.

'Ze hebben de grond gemest met pamfletten. Oftewel gegierd. Ik moest er dan ook even om gieren', grinnikte hij.

'Wat was er zo lollig aan?'

'Ik dacht eerst dat het Yosseff was op een van die foto's.'

Hij haalde een opgevouwen vel uit zijn zak. Zo een die ik overal had zien liggen. *Betaal jij hun rekeningen?* stond er bovenaan. Eronder waren foto's afgedrukt van zes jongens. Een van hen leek verdomd goed op Yosseff.

'Dat zou een gigablunder zijn', zei Ubbe.

'Wat?'

'Als Yosseff samen met die gozers het land uit werd gesmeten.'

'Ja, dat denk ik ook.'

'De Hellevik Tigers zouden dwars door de hele divisie duvelen.'

'En plat op hun bek gaan.'

'Krijgen ze ook nog allemaal van die negerneuzen!'

Dat laatste was als grap bedoeld, maar ik kon er niet om lachen. Gisteren zou ik er geen moeite mee gehad hebben. Toen wist ik nog niet hoe hij heette. Abdi. Nu deed ik alsof ik het niet gehoord had. Dat was het eenvoudigste. Ik besloot dat ik dit trucje zou herhalen. Doen alsof ik iets niet gehoord had. Dat kwam me beter uit.

De jongen helemaal rechts was vast Abdi. De andere twee zaten weer in het asielzoekerscentrum. Of waren ze ergens anders beland? In de nor? Ik zou het pa vanavond vragen. Tussen neus en lippen. Als hij naar de tv zat te kijken. Dat werkte meestal.

Voor ik echt goed besefte wat me overkwam, waren we onderweg naar het huis van Alva. Dat we de oren van elkaars hoofd kletsten, kan ik niet zeggen, maar ze keek me vaak aan. En dan lachte ze. Ze vroeg hoe het was om een vader te hebben die bij de politie was. Ik kon daar weinig zinnigs op antwoorden. Ik wist immers niet beter. Maar het was een feit dat ik vaak genoeg vond dat het best veilig was. Als een of andere gek ons huis binnendrong, wist ik dat pa hem zou overmeesteren. Dat zei ik niet. Ik zou te schijterig klinken.

'Wat doet jouw pa eigenlijk?'

'Niks, op het moment.'

'Niks?'

'Hij werkte bij Hellevik Tools. En nou, ja, nou doet hij niks.'

Toen herinnerde ik me weer het gesprek tussen haar en Ubbe.

'Vervelend voor hem', zei ik.

'Ja.'

'Wat voor werk deed hij bij Hellevik Tools?'

Shit. Waarom vroeg ik dat? Het sloeg nergens op.

'Iets met onderdelen van motoren', zei Alva.

'O, best vet.'

'Valt wel mee.'

We zeiden niets meer voor we bij haar huis waren. Toen keek ze me aan. Op zo'n bijzondere manier dat ik ineens overal op voorbereid was. Dacht ik. Maar dat had ik mis. Want ze kuste me. Echt. Zij begon mij te zoenen. Ik liet het gebeuren, zeg maar. Onze tanden tikten tegen elkaar. Ze sloot haar ogen. Ik keek stiekem. Daarna veegde ze haar mond af en maakte ze de voordeur open.

Ze trok me aan mijn arm de gang door. Ik zag een stukje van de woonkamer. Lag er iemand op de bank? Het rook er naar hond. Net zoals bij Ubbe thuis. Ze nam me meteen mee naar haar kamer. Dit was misschien het meisje waarmee ik overal over praten kon. Voor wie ik geen geheimen had. Abdi. Niemand wist van hem af. Ik moest het aan Alva vertellen. Zij en ik. Met z'n tweetjes konden we misschien een goede oplossing bedenken. Iets waaraan ik niet gedacht had. In mijn eentje.

Helemaal aan het einde van de gang lag haar kamer. De deur stond halfopen. Ik vroeg me af hoe ik het zou vertellen. Ik wou geen held van mezelf maken, zeg maar. Opschepperig overkomen. Hoewel ik misschien zijn leven had gered. Hij had een boel littekens en die laatste wond had hij net opgelopen. Wie weet was hij getroffen door die gemene onderzetter van Albin. En hoe zou ze reageren? Als ze maar niet vond dat ik het tegen pa moest zeggen. Het kon ook zijn dat ze voorstelde dat hij zich in hun kelder verborg. Of dat we hem om de beurt een tijdje hadden. Dan zou het minder snel argwaan wekken. Ma vond al dat ik me eigenaardig gedroeg. Ik besloot dat ik het meteen zou vertellen. Maar dan moest de deur eerst dicht zijn. We liepen langs nog een kamer. Ik zag dat het een slaapkamer was. Ze liet mijn arm pas los toen we in haar kamer waren. Ze liep naar haar bureautje en begon wat papieren op een stapel te leggen. Ik keek om me heen. *Op het netvlies gebrand.* Ik had de uitdrukking nooit goed begrepen. Had me er niks bij voor kunnen stellen, bedoel ik. Maar nu voelde ik het gebeuren. Ook al was Alva het mooiste meisje van de wereld, ik kon het beeld niet meer wissen. Ik had het wel gewild, dol- en dolgraag. Ik had wel gewild dat we niet *hier* waren beland, maar op *mijn* kamer. Maar nu was het te laat. Ik had het gezien. Het stond op mijn netvlies gebrand.

Ubbe deed alsof hij de eigenaar was van de hele stad en omstreken. Terwijl het alleen maar om een groot gat ging. Maar natuurlijk was het best cool. Dat er GW BOUWWERKEN op een groot bord en op de graafmachine stond. Gunnar Westberg. Ubbes pa.

'En dit is godverdomme nog maar het begin. Als de ploeg blijft scoren, wordt Hellevik een wereldstad.'

'Vast', zei ik.

'Je gelooft me niet? Heb je geen vertrouwen in de club?'

'Jawel', zei ik.

'Pa zei dat ze Yosseff gered hebben.'

'Gered?'

'De gemeente schijnt een uitzondering te kunnen maken. Ze geven hem een speciaal soort verblijfsvergunning.'

'Dus hij wordt het land niet uit gezet?'

'Dat durven ze niet. Hij heeft godverdomme een eigen pizza!'

Een stuk verderop hadden ze al keten geplaatst. Achter een van de ruiten brandde licht. Dit hele landje zou binnenkort niet meer te herkennen zijn. Als de pa van Ubbe zijn zin kreeg. En hij was niet de enige die zat te popelen. Alva's pa kon ook amper wachten. Ze had me meer over haar vader verteld. Ik had geluisterd, maar niet echt geconcentreerd. Die poster zat me aldoor dwars. Toch vond ik haar nog steeds even lief. En eigenlijk, bedacht ik, had ik er bar weinig verstand van. Gebrek aan kennis leidde tot vooroordelen. Ma had het daar voortdurend over. De leraren op school ook. En de ideeën die Alva had, waren misschien zo gek nog niet. Ze was daar volgens mij te slim voor. Ik was toch niet zo achterlijk dat ik verliefd was op een meisje dat zaagsel in haar kop had?

Het licht in de keet ging uit en de deur werd geopend. Ik zag Ubbes pa en een lange vent. Ze hadden allebei een helm op, ook al liepen ze geen gevaar dat er iets op hun hoofd terechtkwam. Dat kon nog wel wat maanden duren.

'Dag, mannen. 't Begint ergens op te lijken, hè?' zei Ubbes pa tegen ons.

'Zeker weten, pa. Hellevik wordt een wereldstad!'

BEST SHIT.

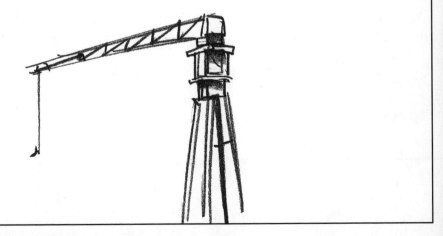

MORTAL

COMBAT

Eigenlijk was ik het met hem eens. Er was een hemelsbreed verschil. De graphics waren stukken beter. En door die elektroshocks moest je echt alles uit jezelf halen. Maar ik vond het best. Dit was lekker rustig. Absurd in feite. Een tijdje geleden raakte ik helemaal in de stress van deze game. En nu beschouwde ik het als pure ontspanning. Nog even en ik was totaal afgestompt.

'Oké, maar de volgende keer gamen we bij mij. Op tweehonderd volt.'

'Gezellig', zei ik.

'Jezus, wat was dat?'

Ubbe keek naar de kelderdeur.

'Niks!'

Mijn stem klonk pieperig.

'Hoorde je dat niet? Die klap?'

'Waar dan?'

'In de kelder! Je bent toch niet doof?'

Hij stond op het punt naar de kelder te lopen, toen zijn mobieltje ging.

'Ha, mam. Ja, ik kom eraan. Was bij pa en die moest me van alles laten zien. Wat? Is hij thuis? O, ik zit nou even bij … Oké, ik vertrek nu. Ja.'

Ubbe stopte zijn mobieltje weg en wees weer naar de kelderdeur.

'Je moet niet zo veel gamen. Word je een zenuwpees van.' Ik klonk als ma.

Het werkte, ook al slaakte Ubbe een diepe zucht en vond hij dat ik kakelde als een oud wijf.

'Kom niet bij mij uithuilen als er een gewelddadige inbreker uit die kelder springt.'

'Haha.'

Ik bewoog niet. Wou niet laten merken dat ik het bijna in mijn broek deed van de stress.

'Ga nou maar, voor je ma je vermoordt.'

'Goed. Zie je.'

Ik deed de deur achter hem dicht en gluurde tussen de luxaflex door om te checken of hij de straat uit liep. Ik zag hem nergens en dat klopte niet. Shit! Ik smeet de voordeur open. Hoopte dat ik het bij het verkeerde eind had. Dat had ik niet. Ubbe zat op zijn knieën en met zijn handen boven zijn ogen door het kelderraampje te gluren.

'Wat doe je daar!' schreeuwde ik.

'Je leven redden, natuurlijk.'

Ik wist bij god niet wat ik moest zeggen.

'Maar het is zo donker dat ik geen barst zie. Je zoekt het maar zelf uit.'

'Uh … ja, dat zal wel lukken. Ciao!'

Ik bukte en tuurde door het raampje. Er viel echt niets te zien.

'Ik zei toch dat je niks zag? Wat ben je toch een oen.'

'Ik? En jij dan? Wie kwam op het idee dat ik een inbreker in de kelder verborg?'

'Zei ik dat? Dat je iemand verborg?'

'Dat bedoelde ik niet, ik … Zeg, ik dacht dat je haast had?'

Ik keek Ubbe na voor ik weer naar binnen ging. En daar stond hij. In het halletje. Naar zijn buik te wijzen.

'Hungry.'

'Okay, wait a minute', zei ik.

Hij liep achter me aan naar de keuken. Ik werd daar goed zenuwachtig van. Misschien kreeg hij wel ineens een aanval en greep hij een keukenmes en hakte hij me aan mootjes. Ik had niet door dat hij achter was gebleven.

Hij stond in de woonkamer en hield de glazen ijsbeer in zijn handen die we van oma hadden geërfd.

'Beautiful', zei hij.

'Yes', zei ik.

Hij vond hem mooi. Ik had daar nooit over nagedacht. Was dat ding mooi? Shit. Wat maakte het uit? Hij liep naar de tv en bekeek hem van alle kanten.

'Very big!'

'Yes, very.'

Nu ging hij op de vloer zitten. Ik zag dat hij ook een litteken op zijn voet had. Meerdere zelfs. Het leek wel een streepjescode.

'Who is that?'

Hij wees naar een foto op de vensterbank.

'It's me. Old picture.'

Hij lachte. Ik lachte ook. Hij krabbelde overeind en liep weer op de ijsbeer af.

Hij duwde me bijna opzij toen ik de koelkast opende. Ik had niet gedacht dat hij rauwe eieren lustte, maar dat deed hij. Drie stuks. Mij zou dat nooit lukken. Ik schudde m'n hoofd, maar hij snapte niet wat ik bedoelde. Ma had nog meer van die krentenbollen gekocht. Ik reikte hem de zak aan. Maar nu schudde hij zijn hoofd. Het ergerde me een beetje dat hij niet alles vrat wat eetbaar was. Dat hij nee durfde te zeggen als hem iets werd aangeboden.

'Taste no good.'

'Yes, I know', zei ik.

En dat was eigenlijk net zo idioot. Dat ik hem iets gaf wat ik zelf vies vond. Netjes is anders.

We smeerden een paar boterhammen voor hem. Ik had een uur ervoor nog met Ubbe gegeten.

Hij liep op zijn dooie gemak terug naar het halletje. Keek maar om zich heen en wees naar van alles en nog wat. Vroeg een hoop, maar hij sprak een vreemd soort Engels en daarom knikte ik op goed geluk als ik er geen snars van begreep.

Toen we bij de kelderdeur waren, draaide hij zich om.

'You have room?'

'Yes', zei ik en ik wees naar de trap.

Het was waarschijnlijk een heel slecht idee, maar ik nam hem mee naar boven. Kreeg het niet voor elkaar om hem weer doodleuk in de kelder op te sluiten. Dat zou ongeveer hetzelfde zijn als wanneer ik Ubbe de kelder in had geduwd, zeg maar.

Er lagen nog steeds chips op de vloer van mijn kamer. En de gamecontrollers lagen nog te trillen. Abdi liep eropaf en pakte de ene controller op. Het ding trilde in zijn hand en Abdi liet hem van schrik op de grond vallen.

Hij zag er zo stomverbaasd uit dat ik wel om hem moest lachen. Toen begon hij ook te grijnzen en daarna luidkeels te lachen. Hij herhaalde de act met de controller een paar keer voor hij mij de andere controller in mijn hand drukte. Eerst hield hij die van hem ondersteboven en ik legde hem uit hoe het wel moest. Ik zette de game aan.

'Okay, play, yes', zei ik en ik vroeg me af wie mijn Engelse woordenschat had gejat.

De gamecontrollers lagen nog steeds te trillen. Het leken wel doodskram-pen. Abdi was een moeilijke tegenstander geweest. Terwijl hij nooit eerder gegamed had. Weird. Ik had hem wel es willen zien spelen tegen Ubbe. Maar dat ging nooit gebeuren. Ik zette de computer uit en rolde alle snoer-tjes op. Merkte dat mijn vingers zowat gevoelloos waren. De ogen van Abdi toen hij gamede. Hij zag eruit als een zombie. Voor hem was dit geen spel-letje. Daar kon ik donder op zeggen. Al die littekens. Shit. Het idee. Ie-mand achter je aan. Echt. Iemand die je kapotmaakte. Wat zou hij wel niet meegemaakt hebben? Wie had zijn voeten zo toegetakeld?

Toen hoorde ik dat pa aan kwam rijden. Dezelfde herrie als altijd. Het portier klapte dicht en zo dadelijk ging de voordeur open. En nu maar ho-pen dat hij niets in de kelder te zoeken had en dat Abdi geen kik gaf. Shit, wat een zenuwengedoe.

'Hallo?!'

'Ik ben hier! Op mijn kamer!'

In feite was ik al op de overloop. En toen ik beneden kwam, begreep ik dat pa inmiddels in de keuken was. Met mijn ogen kamde ik het halletje uit. De woonkamer. De foto van mij als kleuter stond op de tv. Ik sloop naar binnen en plantte hem weer op de vensterbank. Het sissende geluid van pa die een biertje opentrok.

'Godsammeliefhebbe!'

Ik schrok me dood.

'Ben ik nou gek of hoe zit het?' vervolgde hij.

'Wat is er?' riep ik en ik bereidde me voor op het ergste.

Ik liep de keuken in. Pa stond voor de open koelkast. Hij draaide zich niet om.

'Heb jij de boel leeggevreten?'

'Uh, ja ... En Ubbe. Hij verging van de honger.'

'En kan meneer dan niet naar huis gaan om te eten?'

'Uh, ja ... eigenlijk.'

Samen met pa naar de tv zitten kijken en tegelijk weten dat Abdi onder de vloer zat. Zodra pa zich verroerde, veerde ik op. Na een tijdje keek hij me aan en schudde hij zijn hoofd.

'Wat is er met jou vanavond? Je hebt toch geen vlooien?'

'Vlooien? Haha.'

Pa zocht een andere zender op en legde zijn voeten op het tafeltje. Ik droogde m'n zweterige handen af aan mijn broekspijpen. Eigenlijk was ik het liefst weggevlucht naar mijn kamer en had ik het dekbed over mijn kop willen trekken. Maar als ik dat deed, kon ik hem niet in de gaten houden. Niet dat ik wist wat me te doen stond als hij op het idee kwam om naar de kelder te gaan. Voorlopig leek hij dat niet van plan te zijn, maar toch bleef ik zitten. Voor de zekerheid.

'Nu krijgen we het misschien te horen', zei hij zonder zijn blik af te wenden van de buis. Daar begon het sportnieuws.

'Hellevik houdt zijn adem in. Het wachten is op de gemeente, die beslist over de werkvergunning van Yosseff Dommobor en de promotiekansen van de Hellevik Tigers. We hebben begrip voor hun trainer, Ove Sundelin. Tegen het sportnieuws zei hij: "Ik vind het ronduit onmenselijk om een ploeg zo lang in het ongewisse te laten. Als de gemeente de knoop niet snel doorhakt, moet de regering ingrijpen. Het is een triest feit, maar het lot van Hellevik ligt in handen van de politici."'

Ik wierp een blik op pa. Hij zat te zuchten. Leek vergeten te zijn dat ik naast hem zat. Hij mompelde iets onverstaanbaars en keek op zijn horloge. Toen stond hij op en verdween hij naar boven. Ik hoorde aan het geluid van de stoel die over de vloer kraste, dat hij naar zijn werkkamer was gegaan. Ik bleef voor de tv zitten. Handbal en wereldrecord hink-stap-sprong.

Toen hoorde ik het korte signaal van de politieradio. Ik begreep dat hij zat te luisteren. Dat deed hij vrijwel nooit. Er was iets gaande.

'Hallo?'

Het was ma. Ze stampvoette en schudde de druppels van een paraplu. Ik had niet gemerkt dat het was gaan regenen. Het was duidelijk dat de bijeenkomst op de bibliotheek een afgang was geweest. Dat hoorde je aan de manier waarop ze haar tas op de grond smeet en met de kleerhangers rammelde.

'En naar wat voor interessants zit jij te kijken?'

Het sportnieuws was afgelopen en ik zat naar de tv te staren zonder te beseffen waar ik naar keek. Het waren mieren die rondkropen in een of ander natuurprogramma.

'Uh … eigenlijk naar het sportnieuws, maar het is net afgelopen.'

'Nog één keer het woord *sport* en ik ga gillen', zei ma en ze liep naar de keuken.

Mijn mobieltje piepte. Alva.

'Hellevik wordt de domste gemeente van Zweden. Als de politici niet snappen dat mensen een bibliotheek nodig hebben, dan is het afgelopen. Welke mensen hebben een sporthal nodig? Echt nodig?'

'Wat zei je?'

Ik luisterde niet. Tuurde naar mijn mobieltje. Het berichtje van Alva danste door mijn hoofd. Ik las het nogmaals en nogmaals. Ma praatte nog steeds.

'Als de mensen het voor het zeggen hadden, dan was het altijd zomer. Dan zag je nergens een buitenlander en op elke straathoek een bingotent. Soms moet je durven de mensen in een andere richting te dwingen.'

'Ik ga naar bed, mam.'

Ik liep naar mijn kamer, maar toen ik de werkkamer van pa passeerde, bleef ik staan. Hij was aan het praten.

'Met z'n hoevelen waren ze? Over.' 'Goh, misschien een stuk of tien. Over.' 'Bekenden? Over.' 'Ja, de vaste gang, maar ze waren agressiever dan anders. Over.' 'Dit gaat de foute kant op …' 'Wat zei je? Over.' 'Niets. Over.' 'Die troep moet van de muur voor de kranten het zien, anders hebben we een probleem. Over en uit.' 'Sterkte. Over en uit.'

Pa kwam de gang op. Hij keek me verrast aan.

'Moeilijkheden?' zei ik.

'Nogal. Ze hebben *De fik erin* op de muur van het asielzoekerscentrum gekalkt.'

'Maar niks in de fik gestoken?'

'Nog niet.'

'Denk je dat ze het doen?'

'Ze zijn tot alles in staat. Wacht maar.'

'Hoe weet je dat?'

'Het is eerder gebeurd.'

'Wanneer?'

'In Linddalen staken ze afgelopen voorjaar een eengezinswoning in brand.'

'Waarom?'

'De bewoners hadden de verkeerde huidkleur.'

Pa liep naar beneden.

'Dag schat.'

Hij gebruikte een andere stem. Wist dat ma er de pest in had.

Ik hoorde niet wat ze antwoordde, maar het geluid van hun stemmen drong door de vloer van de badkamer. Hij kreeg natuurlijk hetzelfde liedje te horen als ik zojuist. Waarschijnlijk luisterde ook hij maar met een half oor. Ik keek nogmaals naar het display. *Vind je leuk.* Toen ik mijn smoel in de spiegel bekeek, zag ik alleen maar een grote pukkel. Zo felrood dat het leek alsof iemand een laserstraal op mijn voorhoofd richtte. Shit! Zat hij er al toen ik bij Alva was? En dit soort puisten werden alleen maar erger. Ik voelde hem gewoon groeien. Wedden dat ik er minstens een week mee rond zou lopen? Ik poetste mijn tanden veel te lang, vast van ingehouden woede. Ik had ma moeten vragen of Jan ook op die demonstratie was. Misschien moest ik haar vertellen wat die griezel tegen mij had gezegd.

'En ik jou. Leuk en supersexy', zei ik zachtjes tegen mijn mobieltje.

Het was goed dat ik oefende. Want het klonk zo stupide dat ik het niet in mijn hoofd zou halen om het tegen Alva te zeggen. Ik bedacht wel wat anders. En wie zei dat we zo nodig moesten praten? We konden ook gewoon samen rondhangen. Alva en ik.

Hij moest weg. Er zat niets anders op. Toen ik wakker werd, was ik zeker van mijn zaak. Dit was niet mijn probleem. En stel je voor dat een of andere klootzak ontdekte dat Abdi in onze kelder zat. Voor je het wist, hadden ze ons huis in de fik gestoken. Dan kwam hij misschien nog om ook. Wie weet gingen we er allemaal aan. Het hele gezin. Ik moest een keuze maken. Alva. Die ochtend twijfelde ik nergens aan.

Nog even en die puist was mijn grootste probleem. Ik haalde diep adem. Verlangde naar de nieuwe situatie. Het gaf me een goed gevoel. Om een beslissing te hebben genomen.

Ma en pa zaten al te ontbijten en de krant te lezen toen ik beneden kwam.

'Goeiemorgen', zei ik.

Geen van beiden zei iets terug. Ze lazen hetzelfde artikel en zaten dicht naast elkaar.

'Jezus, nu breekt de hel los. Ik zat erop te wachten', zei pa.

Yosseff mag niet blijven. Een menselijke tragedie. Zijn trainers reageren woedend. Een klap in het gezicht van de hele maatschappij.

'Je zou bijna denken dat er iemand vermoord is', zei ma en ze schudde haar hoofd.

'Ze hebben een heel team vermoord', zei ik.

Ik hoorde dat mijn stem kwader klonk dan de bedoeling was.

'Ja, een plek in de eredivisie kunnen ze op hun buik schrijven', zei pa.

'Het is honderd procent zeker?' zei ik.

'Het ziet ernaar uit', zei pa en hij zuchtte.

'Over welke hel had je het eigenlijk?' zei ma.

Ubbe zat niet in de trein. Albin wel, met zijn horde vriendjes. En maar roepen en brullen. Dit keer waren ze helemaal door het dolle heen.

'Een prof sturen ze het land uit en een stelletje apen mag blijven!'

'Ja, wat hebben we daar godverdomme aan? Weg met die vuilakken!'

'Tien zwarte kneusjes voor één zwarte basketspeler. Een goede deal toch?'

Applaus. Ik scrolde weer naar het sms'je. *Vind je leuk.*

Nog even en het ging alleen nog om ons. Abdi zou de boel niet meer saboteren. Morgen. Morgen zou ik bellen naar de gemeente. Anoniem. Als pa naar zijn werk was.

Het plan begon vorm te krijgen. De kunst was om niet te verraden dat ik hem onderdak had geboden. Maar wie moest ik bellen? 'Hallo, kan ik de baas van burgerzaken of zo spreken? Ik heb een tip. Er loopt een vluchteling rond in de Lindstraat.' Was dit een goed idee? Of kon ik beter de krant bellen?

Ik zag Alva verderop in de gang. Misschien kon ik het samen met haar doen? Zonder dat ik alles vertelde. Ik zou kunnen doen alsof ik het net ontdekt had. 'Shit, Alva, die ontsnapte vluchteling zit in onze kelder! Wie moet ik waarschuwen?' Ik zou er wel uit komen, maar nu had ik er even genoeg van. Van die puist ook.

In de gang stonk het naar een soort ontsmettingsmiddel. Naar ziekenhuis. Een scherpe lucht die in je neus beet. Een leraar sprak met luide stem. Toen ik dichterbij kwam, zag ik dat het Ljunggren was. Hij stond met gekruiste armen tegen drie jongens uit de vijfde te praten. Of misschien zaten ze in de vierde.

'Hier wordt met jullie ouders over gesproken. Neem dat van me aan!'

Hij gebruikte dezelfde brulaapstem als de week ervoor op het schoolplein. De conciërge liep langs. Jezus, wat een stank.

En de drie jongens maar schrobben. Volgens mij kregen ze het nooit van zijn leven van de muur. Het hakenkruis en de koeienletters. *Oprotten!*

Ubbe zat al op zijn stoel toen ik de klas binnen kwam. Hij staarde uit het raam. Vertrok geen spier, ook al merkte hij best dat ik naast hem kwam zitten. Tijdens de hele wiskundeles gaf hij geen kik.

Pas in de pauze kwam hij tot leven. Eerst begon hij te kuchen en te hoesten, alsof hij een week lang niks gezegd had. Of schor was van het huilen.

'Dit is totaal fucking unbelievable.'

Ik zei niets.

'Allemaal vertrekken. Dat moesten we doen. In Stockholm gaan wonen. Hellevik mag uitsterven. Wat een klotestad!'

Het had geen zin om er iets tegen in te brengen. Ubbe maaide met zijn armen en keek naar het plafond. Praatte keihard. Zijn stem sloeg over.

'Ze zijn niet goed snik, godverdomme. Ze hebben gewoon schijt aan iedereen!'

Het leek alsof hij de hele school aanstak. De kleintjes riepen: 'Yosseff moet blijven! Yosseff moet blijven!' En in de kantine hadden meisjes het erover dat Yosseff de coolste jongen van de stad was.

Bij het fietsenrek doken de gozers met hun kale knikkers op. Ik dacht dat ik Albin ook zag. Maar ik had geen zin om een potje te staan gluren. Was dit de bende die Abdi te pakken zou nemen als hij naar buiten kwam?

De bibliotheek zag er net zo morsdood uit als altijd. Maar ma, die gewoonlijk op de kinderafdeling zat te niksen, stond nu achter de balie bij de deur druk te praten. Erg druk. Het leek alsof iedereen het volume hoger had gedraaid. Ze zag me niet eens toen ik binnenkwam. Ik moest eerst vlak voor haar neus gaan staan.

'Hoi!'

Ze klonk vrolijk. De eerste die vandaag geen rothumeur had. Het was alsof ik in een andere wereld beland was, op een andere planeet. Hadden ze in de bibliotheek niet gehoord wat er gebeurd was? Lazen die lieden geen kranten? Of gaven ze niks om Yosseff? Om de Hellevik Tigers?

'Nu gaat de wind misschien draaien', zei ma.

'En dat betekent?' zei ik.

'Nu gaan de politici misschien eindelijk hun hersenen gebruiken.'

We liepen de koffiekamer in. Ma ging door.

'Alsof alles staat of valt met één persoon!'

'Mam, dat ...'

'Je ziet het toch zelf? Die basketploeg verliest één speler en iedereen is meteen in rep en roer.'

'Omdat het een stomme beslissing is. Daarom.'

'De mensen alleen maar hun zin geven. Dat is pas stom.'

Ik haalde mijn schouders op. Ma maakte het allemaal zo moeilijk. Die mensen van haar. Wie waren dat eigenlijk? Ik wou alleen maar dat de Hellevik Tigers bleven winnen. En dat de pa van Ubbe die sporthal mocht bouwen. Wat andere mensen wilden? Behalve dat Yosseff mocht blijven? Geen idee.

'Je hoeft niet altijd iedereen een plezier te doen', hoorde ik ma zeggen.

Ik was al weggelopen. Dacht aan mijn plan. Abdi moest het huis uit. Op een nette manier. Ik stond een tijdje te lummelen voor er een computer vrij was.

Zoekwoord: *Afrikaanse taal.*

Resultaat: *De talen die in Afrika gesproken worden, ongeacht tot welke taalfamilie ze behoren, kunnen gegroepeerd worden onder de verzamelnaam 'Afrikaanse talen'. Het aantal talen dat vandaag in Afrika gesproken wordt, schat men op ongeveer tweeduizend. Sommige van deze talen, bijvoorbeeld het Swahili, het Hausa en het Yoruba, worden door miljoenen Afrikanen gesproken, terwijl andere talen slechts door enkele honderden, of zelfs minder, gebruikt worden. Naast de gesproken talen bestaan er ook verschillende soorten gebarentaal.*

Ik zuchtte en krabde op mijn hoofd. Wat had ik in hemelsnaam verwacht? Dat ik kant-en-klare zinnen voorgeschoteld zou krijgen? Bijvoorbeeld: 'Sorry, maar je kunt niet langer bij mij logeren. Ik denk liever aan Alva en bovendien ben ik het zat om vanwege jou in de piepzak te zitten.' Wist ik veel dat ze tweeduizend talen in Afrika hadden. Bovendien had ik geen flauw benul waar Abdi precies vandaan kwam. Daarover hadden we het nooit gehad. Dat maakte ook geen moer uit. Het belangrijkste was dat hij niet in elkaar getimmerd werd.

'Vanochtend liepen die relschoppers hier over straat. Je hebt daar toch niets mee te maken, hoop ik?'

'Mam, de aardbol is van iedereen, nietwaar?'

Ik moest denken aan wat ze had gezegd. 'Alsof alles staat of valt met één persoon.' Ze bedoelde Yosseff. Ik dacht aan Abdi.

Toen ze op haar schouder getikt werd door een mevrouw, nam ik de kans waar om de benen te nemen. Alva. Was ze maar bij me. Ik pakte mijn mobieltje uit mijn zak. Keek naar haar sms'je. Antwoordde. *Zin je te zien. Ben je thuis?*

Ik voelde mijn hele lijf prikkelen. Beelden uit mijn dromen doken op. Bizar. Dat je zo veel tegelijk kunt voelen. Op de parkeerplaats was het druk. En hier liep ik. In mijn eentje. En dat was zijn schuld. Ook dat ik moest liegen. Tegen pa en ma. Tegen Alva. Nee, zij moest hier niet in betrokken worden. Dat was het beste. Ik moest zorgen dat ik thuiskwam. Hij had de hele dag nog niets gegeten. Zo zou ik het aanpakken. Snel naar huis. Abdi eten geven. Misschien een zakje met proviand klaarmaken. En dan goodbye. Run like hell, of hoe je dat noemde. Daarna zou ik Alva opzoeken. Ik klemde mijn hand om het mobieltje in mijn zak, alsof ik haar antwoord eruit wou knijpen. Er gebeurde niets. Ik hoorde het geluid van de naderende stoptrein. Als ik langs de parkeergarage rende, kon ik hem halen. Die route nam ik nooit. Het stonk er altijd naar pis. De trein vertrok over een kleine vijf minuten. Dat ging lukken.

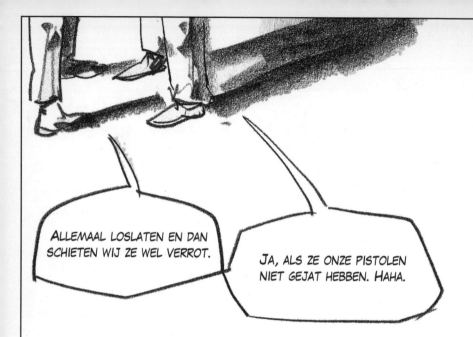

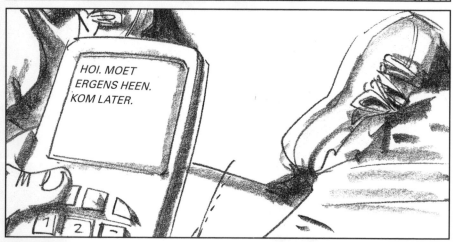

HOI. MOET
ERGENS HEEN.
KOM LATER.

Meteen toen ik de deur opende, had ik het in de gaten. Want hij had een geur waar ik superovergevoelig voor was geworden. Ik vond zelfs dat ik hem rook als ik langs de kelderdeur liep. En nu hing die lucht in het halletje en overal. Uit de keuken klonk gerammel. Shit! Hij snapte toch wel dat hij hartstikke stil moest zijn? In een paar stappen was ik in de keuken en daar stond hij te schransen voor de open koelkast.

'No', zei ik.

Hij deed alsof hij me niet begreep. Keek alleen maar om en ging doodleuk door met vreten. Hij had schijt aan mij. En ik had nog wel zijn leven gered, zeg maar. Weet niet echt wat me bezielde, maar ik sprong naar voren en trok aan zijn arm.

'No', zei ik.

Hij rukte zich gewoon los en zo driftig dat ik bijna mijn evenwicht verloor.

'Godverdomme, doe normaal, man!'

Vergat Engels te praten. Hij was veel sterker dan ik. Hij scheurde een zakje ham open. En propte alle plakken tegelijk in zijn mond. Spoelde de boel door zijn keel met melk. Dronk verdomme nog aan toe gewoon uit het pak. Ik pakte hem bij zijn middel en probeerde hem bij de koelkast weg te trekken. No way. Hij was hartstikke mager, maar je zou zeggen dat hij minstens honderd kilo woog.

'You can't stay here. You have to go', schreeuwde ik.

Hij draaide zich om en ik zwiepte mee. Als een staart van vier gram. Ik liet hem los en knalde tegen de keukenvloer. Voor ik overeind kon krabbelen, lag hij boven op me. Ik probeerde hem weg te schoppen. Hij ademde snel en pakte mijn kin vast. Ik dacht dat hij me zou wurgen. Kwam met zijn gezicht steeds dichter bij dat van mij. En maar staren. Ik staarde terug. Maar het leek alsof hij me niet zag. Alsof hij ergens anders was. Hij mompelde iets in zijn eigen taal. In een van de tweeduizend Afrikaanse talen. Ik schudde mijn hoofd.

'Don't kill me', zei ik.

Het was doodeng. Had nooit gedacht dat ik dit ooit zou hoeven zeggen. Tijdens het gamen riep ik het herhaaldelijk. Maar dit was geen spelletje. Toen ging ineens mijn mobieltje. Het zat in mijn achterzak, maar ik durfde mijn arm niet te bewegen. Het ding bleef maar bellen en wij bleven elkaar aankijken.

'Maybe it's my mother', zei ik.

Hij vertrok geen spier. Het mobieltje zweeg.

'I not kill', zei hij zonder ook maar te knipperen.

'Okay', zei ik.

Mijn mobieltje begon weer te piepen. Nu liet hij mijn hals los. Mijn vingers trilden toen ik het toestel openklapte.

'Hoi! Waar zit je?'

Het was Ubbe.

'Thuis.'

'Kom zo snel mogelijk naar het plein!'

Ik hoorde dat hij weer in zijn hum was. Heel erg zelfs.

'Waarom?'

'Zul je wel zien. Het loopt helemaal uit de hand.'

Ik stopte het mobieltje in mijn zak en stond op. Abdi was naar de woonkamer gelopen. Hij had de glazen ijsbeer weer in zijn handen. Bekeek hem van alle kanten.

'You must go down', zei ik en ik wees naar de kelder.

'Yes', zei hij en hij zette de ijsbeer terug op de vensterbank.

Toen ik de kelderdeur had dichtgedaan en zijn zware voetstappen op de trap hoorde, liep ik haastig naar het raam om de ijsbeer recht te zetten. Hij stond al jaren met zijn neus dezelfde kant op. Zou ik de kelderdeur op slot moeten doen? Dat zou te gek zijn. Ik deed mijn jas aan en haastte me naar het plein. Had geen idee wat me te wachten stond. Ik belde Alva. Geen gehoor. Probeerde het nogmaals. Ze nam niet op. Sms'te. *Waar ben je?*

Toen hoorde ik het. Rumoer. Geschreeuw. Claxons. Een stem in een megafoon. Jezus, wat was daar aan de hand?

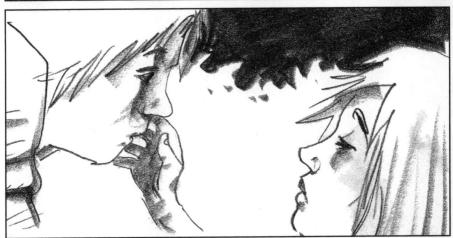

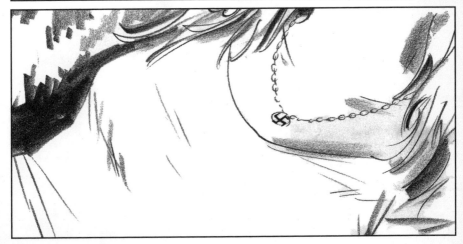

WAT IS ER?

NIETS.

Het was zo. Eigenlijk wist ik het al. Dat het niets zou worden. Je kon de werkelijkheid niet wegdenken. Had ze gedacht dat ik ook zo was? Net als Albin? Ik probeerde terug te scrollen. Naar de manier waarop ze lachte. Naar de Alva uit mijn dromen. Waar ze alleen maar lief was en haar gedachten een geheim. Het lukte niet. Ik zag alleen maar die ketting. Zou ik er anders op gereageerd hebben als er geen Abdi in de kelder had gezeten? Was ik dan naast haar blijven liggen? Hadden we het dan misschien gedaan? Fucking Abdi! Ik probeerde hem te beschermen en in plaats van een beetje dankbaar te zijn, wurgde hij me zowat. Het hele grapje had niets opgeleverd. Behalve een boel angst.

Pa zou me vermoorden als hij het ontdekte. 'In *onze* kelder? Jezus Christus! Je wilt zeker dat ik mijn baan verlies!' Ma vond me nu al niks. Dacht dat ik een nazi was. Het contact met Ubbe was ook minder geworden. En Alva. Ik zou haar nooit aanraken. Ook al wou ik niets liever. Op het plein waren ze nog steeds aan het schreeuwen, hoorde ik. Maar ik was op weg naar huis. Had geen behoefte om de Hellevik Tigers te steunen. Of te zien dat pa met stenen werd bekogeld. Ma tegen te komen, misschien. Ik wou alleen maar weg. Nergens meer aan meedoen. En tegelijk had ik verdomd veel zin om iemand pijn te doen.

AAAAAH!

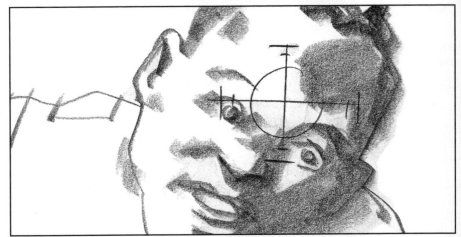

243

OP HET BUREAU BELLEN
WE JULLIE OUDERS.